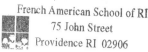

W9-CHR-629

Le Médecin volant
La Jalousie du Barbouillé

MOLIÈRE

Le Médecin volant
La Jalousie du Barbouillé

Présentation, notes,
chronologie et dossier
par Dominique Lanni

ÉTONNANTS CLASSIQUES

GF Flammarion

L'Avare
Le Bourgeois gentilhomme
L'École des femmes
Les Femmes savantes
Les Fourberies de Scapin
George Dandin
Le Malade imaginaire
Le Médecin malgré lui
Les Précieuses ridicules

© Éditions Flammarion, 2006
ISBN : 2-08-072242-5
ISSN : 1269-8822

Sommaire

Molière, par Nicolas Mignard (1606-1668).
Chantilly, Musée Condé.

UN CERTAIN
JEAN-BAPTISTE POQUELIN

Jean-Baptiste Poquelin, le futur Molière, naît à Paris en 1622. Il est encore enfant lorsqu'il assiste avec son grand-père maternel, Louis Cressé, aux spectacles que donnent les grands comédiens de l'Hôtel de Bourgogne [1], les comédiens italiens, les farceurs – qui ont pour noms Mondor, Tabarin, Turlupin, Gros-Guillaume ou Gaultier-Garguille –, les bonimenteurs, les bouffons, les charlatans et autres bateleurs. Lorsqu'il ne se distrait pas du spectacle des rues animées du quartier du Pont-Neuf, le jeune Jean-Baptiste étudie au collège de Clermont, l'actuel lycée Louis-le-Grand, où fils de nobles et de bourgeois apprennent l'histoire, le droit et les sciences, et où les élèves sont supposés ne parler qu'en latin, y compris dans la cour de récréation. Le jeune Jean-Baptiste est destiné à reprendre la charge prestigieuse et honorifique de son père, « tapissier ordinaire et valet de chambre du roi [2] ». Mais sa passion pour le

Présentation

7

1. Construit en 1548 au cœur de Paris, l'Hôtel de Bourgogne est en quelque sorte le théâtre officiel, le temple du genre sérieux à l'époque de Molière. Y évoluent les « grands comédiens », dirigés par Bellerose, dont Molière moquera la façon de jouer et la diction dans *L'Impromptu de Versailles* (1663).
2. Son rôle consistait à restaurer les meubles du roi, à aider ses valets et à démonter la chambre du souverain lorsqu'il était en campagne.

théâtre est trop grande. De retour à Paris après avoir étudié le droit à Orléans, il rencontre un comédien italien de renom, le célèbre Tiberio Fiorilli, dit Scaramouche, dont le mode d'expression favori est la pantomime. À ce moment-là, les farceurs français sont sur le déclin, tandis que les comédiens italiens sont à leur apogée. Jean-Baptiste Poquelin a un peu plus de vingt ans lorsque, en 1643, quelques mois seulement après avoir été reçu comme avocat, il abandonne cette profession et renonce à la charge de tapissier au profit de son frère cadet. Avec Madeleine Béjart – une jeune comédienne de talent –, une partie des membres de la famille de cette dernière et quelques gens un peu bohèmes, il fonde une troupe qui reçoit le nom pompeux d'Illustre-Théâtre.

AU TEMPS DE L'ILLUSTRE-THÉÂTRE

En attendant que la salle qu'elle a loué pour ses représentations soit aménagée – la salle du jeu de paume[1] des Métayers, près de la porte de Nesle, dans l'actuelle rue Mazarine –, la troupe se produit à Rouen, à l'époque de la foire Saint-Romain. Jean-Baptiste Poquelin prend alors le pseudonyme de Molière[2]. La troupe est pleine de bonne volonté mais son répertoire est

---

1. *Salle du jeu de paume* : salle où l'on pratique le jeu de paume, sport qui consiste à se renvoyer une balle de part et d'autre d'un filet, au moyen de la main à l'origine, puis d'un instrument.
2. Le choix de ce pseudonyme est demeuré obscur.

modeste et elle peine à attirer le public. Elle joue des tragédies de Corneille et de Du Ryer [1], sans succès. Face aux deux grandes troupes de théâtre du temps que sont l'Hôtel de Bourgogne et le Théâtre du Marais [2], l'Illustre-Théâtre a du mal à s'imposer. Pour assurer son salut, Molière contracte des prêts. Plusieurs comédiens se retirent de la troupe, qui quitte le jeu de paume des Métayers pour celui de la Croix-Noire, quai des Célestins, à Paris. Criblé de dettes, Molière est emprisonné sur plainte de son marchand de chandelles, pour deux factures impayées [3]. Libéré grâce à son père, qui rembourse une partie de ses créanciers, il reprend ses activités de comédien et de chef de troupe. Mais les difficultés financières ont eu raison de l'Illustre-Théâtre. Fin 1645, convaincu que ce qui reste de sa troupe a plus de chances de survivre et de trouver son public hors de la capitale, il rejoint, avec Joseph, Madeleine et Geneviève Béjart, la troupe de Dufresne, qui compte alors une vingtaine de comédiens et s'apprête à partir en tournée.

1. Du Ryer (1605-1658) est un auteur de tragédies aux rebondissements multiples et mettant en scène des héros témoignant d'une très grande générosité.
2. *Théâtre du Marais* : théâtre rival de l'Hôtel de Bourgogne, qui doit sa renommée à la collaboration étroite de Pierre Corneille et de l'acteur Montdory. Détruit par un incendie en 1644, il est reconstruit dix mois plus tard.
3. L'installation d'une troupe dans un théâtre coûte cher et nécessite l'emploi temporaire de différentes personnes : décorateur, peintre, musicien, souffleur, ouvreur de loges, marchand de chandelles, copiste de rôles – pour recopier les rôles des comédiens –, moucheur de chandelles – pour allumer et éteindre les bougies…

SUR LES ROUTES DE PROVINCE

La troupe de Dufresne passe d'une province à l'autre, se produisant ainsi en Normandie, en Guyenne, dans le Berry, sur les places, dans les cours des maisons et dans les salles de jeu de paume l'hiver. En 1650, alors que Molière en est devenu le chef, elle fait halte dans le Languedoc où le prince de Conti[1] assiste à l'une de ses représentations. Enthousiasmé par le jeu des comédiens, celui-ci leur accorde sa protection et les pensionne. La troupe – désormais « Comédiens du prince de Conti » – reprend la route, faisant étape à Grenoble, en 1652, avant de choisir Lyon comme port d'attache, en 1653. En 1655, la troupe y crée la première comédie de Molière, *L'Étourdi*. C'est un succès. Mais le prince de Conti, qui s'est converti au catholicisme, cesse de subventionner la troupe, l'Église et ses représentants jugeant très sévèrement les comédiens. Dans une lettre adressée à l'abbé de Ciron, il écrit : « Il y a des comédiens ici [à Lyon] qui portaient mon nom autrefois ; je leur ai fait dire de le quitter[2]. » La troupe reste unie. L'année suivante, elle monte une autre comédie de Molière, *Dépit amoureux*. En 1658, elle se rend à Rouen,

10

---

1. *Le prince de Conti* : Armand de Bourbon, prince de Conti (1629-1666), est alors le troisième personnage du royaume. Dans le cas où le roi et son frère seraient venus à mourir avant lui, c'est à lui, en tant que premier prince du sang, et du fait de la disgrâce du prince de Condé, que serait revenue la couronne.
2. Alfred Simon, *Molière, une vie*, La Manufacture, 1987, p. 131.

où elle rencontre Pierre Corneille, qui a déjà écrit plusieurs tragédies et pour lequel Molière a une profonde admiration. Puis elle reprend sa route en direction de Paris, forte d'une solide réputation et d'une grande expérience : ces treize années en province lui ont appris son métier, en lui permettant de s'adapter à des publics variés, aux goûts différents.

DE RETOUR
DANS LA CAPITALE

De retour à Paris et grâce à la protection de Monsieur, frère unique du roi, Molière et sa troupe se voient accorder le privilège de jouer devant Louis XIV et la cour. Le 24 octobre 1658, dans la salle des gardes du palais du Louvre, ils triomphent, moins grâce à *Nicomède*, une tragédie de Pierre Corneille devant laquelle le roi s'ennuie, que grâce au *Docteur amoureux*, une petite comédie de Molière aujourd'hui perdue qui le fait rire aux éclats[1]. Ce succès est décisif. Il assure à la troupe le soutien financier du souverain et lui permet de jouer dans la salle du Petit-Bourbon en alternance avec les Comédiens-Italiens[2] – parmi lesquels Scaramouche –,

---

1. Le sujet n'est pas nouveau. Il a déjà été exploité par les comédiens italiens et a inspiré une petite comédie intitulée *Le Docteur amoureux* (1638) à un certain Le Vert. Molière a probablement vu ce sujet joué par les Italiens et s'en est sans doute servi pour créer son *Docteur amoureux*.
2. *Comédiens-Italiens* : nom donné par Louis XIV à la troupe de Tiberio Fiorilli en 1653.

desquels elle apprend beaucoup. Là, elle représente des pièces de Corneille : des tragédies que les acteurs déclament, articulant beaucoup et forçant le ton. Cette manière de jouer peu naturelle n'attire pas le public. Molière et sa troupe reprennent alors *L'Étourdi* et *Dépit amoureux*. C'est un triomphe. Fort de ce succès, Molière revient à ces comédies qui ont fait la réputation de la troupe en province – *Les Trois Docteurs rivaux*, *Le Docteur amoureux*, *Le Maître d'école*, *Gros-René écolier*… Au sujet de ces petites pièces en un acte inspirées de la farce et de la *commedia dell'arte*, au nombre desquelles figurent *La Jalousie du Barbouillé* et *Le Médecin volant*, La Grange écrit dans son *Registre*[1] : « Il y avait longtemps qu'on ne parlait plus de petites comédies, l'invention en parut nouvelle. »

DEUX PETITES COMÉDIES

Le *Registre* de La Grange indique que *Le Médecin volant* a été représenté pour la première fois le 18 avril 1659, devant le roi, puis à plusieurs reprises jusqu'en 1664, avant de disparaître du répertoire de la troupe ; la date de la création de *La Jalousie du Barbouillé*

---

1. Le comédien Charles Valet, dit La Grange (1639-1692), intègre la troupe de Molière en 1659 pour jouer les rôles d'honnête homme. Dès cette année, il commence à tenir son registre. Celui-ci comporte les principales dates des représentations données par la troupe ; c'est, avec *La Vie de Molière* de Grimarest, un document d'époque précieux sur la vie et les activités de Molière et des membres de la troupe à leur retour dans la capitale.

est, elle, incertaine – on sait seulement, toujours grâce au *Registre* de La Grange, qu'elle a été jouée plusieurs fois entre décembre 1660 et septembre 1664, puis qu'elle a été retirée du répertoire de la troupe avant de fournir à Molière la scène 6 de l'acte III de *George Dandin* (1668)[1]. Il se peut par ailleurs que Molière ait exploité les thèmes de ces œuvres alors qu'il était encore en province.

Parce qu'elles sont assez éloignées des comédies plus élaborées de Molière, comme *Tartuffe* (1664), *Dom Juan* (1665) ou *Le Misanthrope* (1666), les spécialistes de l'auteur ont longtemps douté de la paternité de ces deux petites pièces. C'est oublier que Molière était un remarquable acteur, qui s'illustrait surtout dans des farces et petites comédies : avec son visage enfariné, ses grimaces de bouffon, sa démarche et sa manière de parler ou de tousser, il déclenchait les éclats de rire. Et c'est précisément cette connaissance des réactions du public qu'il a mise à profit en écrivant. Il a puisé son inspiration à plusieurs sources, qu'il a conjuguées : on retrouve dans ses textes l'influence des dramaturges de l'Antiquité – Plaute, Térence –, mais aussi des farceurs du Moyen Âge, des comédiens italiens ou encore des auteurs espagnols. Mêler ces différentes sources lui permet d'atteindre son but : réussir à faire rire ses contemporains de ses personnages et, à travers ces derniers, d'eux-mêmes.

---

1. Voir dossier, p. 90.

LA JALOUSIE DU BARBOUILLÉ, UNE PIÈCE DANS LA TRADITION DE LA FARCE

Le sujet de *La Jalousie du Barbouillé* est déjà présent dans une nouvelle de l'écrivain florentin Boccace[1], *Le Jaloux corrigé* : alors que sa femme, qu'il pense infidèle, est à la porte de leur demeure, Toffano refuse de lui ouvrir. Grâce à un subterfuge, celle-ci inverse la situation : elle rentre dans la maison et son époux se retrouve à l'extérieur, face à une porte fermée. Molière connaissait peut-être la nouvelle de Boccace, mais les sujets du mari jaloux et de l'épouse infidèle sont à l'origine de plusieurs canevas de comédies italiennes et surtout de très nombreuses farces. Il est donc tout à fait possible que Molière ait assisté à une représentation de farceurs et qu'il s'en soit inspiré pour composer sa *Jalousie du Barbouillé*.

Probablement dérivée de l'atellane – une pièce antique de caractère bouffon mettant en scène des personnages types –, et aussi en partie du fabliau – un conte satirique en vers né au XIIe siècle –, la farce est l'une des plus anciennes formes du comique populaire. Apparue au Moyen Âge, c'est un intermède comique intercalé entre deux pièces sérieuses, qui a pour fonction de

---

1. *Boccace* (1313-1378) : premier grand prosateur italien dont l'œuvre la plus connue est le *Décaméron*, un recueil de nouvelles dont est issu *Le Jaloux corrigé* et qui offre une peinture des mœurs du XIVe siècle.

détendre les spectateurs. Elle connaît son apogée durant la seconde moitié du XVe siècle et au début du XVIe siècle et continue d'attirer les foules jusque dans les années 1650. Mais, comparée à la comédie et surtout à la tragédie – dite le plus noble des genres –, elle est considérée comme «vulgaire». Comme celle de la comédie, l'intrigue de la farce est simple tout autant qu'efficace – le trompeur est trompé, le mari cocu soupçonne sa femme de lui être infidèle, le valet devient médecin malgré lui… – et s'articule autour de personnages tirés de la réalité quotidienne [1], rappelant d'ailleurs ceux des comédies latines de Plaute et de Térence [2] – le mari cocu, l'épouse infidèle, la fille à marier, le valet rusé, le paysan balourd, le barbon naïf, le vieil avare… La farce diffère de la comédie par sa tonalité ; elle met l'accent sur l'oralité : le langage y est populaire et les expressions familières. Le public apprécie les situations cocasses qu'elle donne à voir, ses querelles, quiproquos, courses, grimaces et autres coups de bâton. Grossier et vulgaire, son comique est souvent obscène ou scatologique. Mais l'effet est garanti : le public rit aux éclats.

1. La tragédie repose, elle, sur une intrigue complexe et met en scène des personnages nobles.
2. *Plaute* (254-184 av. J.-C.) : poète comique latin à qui la légende attribue cent trente pièces. Vingt et une seulement lui sont aujourd'hui reconnues dont les plus célèbres sont *Amphitryon*, *L'Aululaire*, *Les Ménechmes* et *Le Soldat fanfaron*. Ses personnages ont inspiré les farceurs et ils sont à l'origine des types de la *commedia dell'arte*. *Térence* (190-159 av. J.-C.) : poète comique latin, auteur de six comédies imitées des auteurs grecs parmi lesquelles figurent *L'Eunuque*, *Phormion* et *Les Adelphes*. Celles-ci ont inspiré les dramaturges classiques français et notamment Molière.

Que ce soit sur le plan de l'intrigue, des personnages ou de la dramaturgie, nombreux sont les éléments de *La Jalousie du Barbouillé* qui renvoient à l'univers de la farce. L'intrigue repose sur un renversement de situation caractéristique de la tradition farcesque : un mari jaloux, qui croit sa femme infidèle et pense la démasquer, se retrouve piégé par celle dont il avait fait sa victime. Ensuite, la plupart de ses personnages sont des personnages types : on retrouve le mari jaloux – le Barbouillé –, l'épouse rusée et infidèle – Angélique –, la brave suivante – Cathau –, le médecin pédant – le Docteur. Enfin, on relève dans cette petite comédie plusieurs éléments qui ont trait au comique de mots – le recours fréquent du Docteur à des formules latines (scènes 2, 6 et dernière), à des énumérations (scènes 2 et 6) –, au comique de geste – les différents jeux de scène et mimiques des personnages, notamment du Docteur qui «trousse sa robe derrière son cul» (scène 2), et les querelles qui donnent lieu à la plus grande confusion (scène 6) – ou au comique de situation – les lamentations du Barbouillé (scène première) –, qui font écho à des farces telles que la *Farce nouvelle d'un ramoneur de cheminées fort joyeux* [1] ou *Le médecin qui guérit de toutes sortes de maladies*. Molière s'est familiarisé très tôt avec le jeu des farceurs. Plusieurs des membres de sa troupe ont été d'éminents farceurs avant de jouer à ses côtés et de tenir des rôles dans ses comédies. Par conséquent, que Molière ait composé sa pièce dans cette tradition n'a rien de surprenant.

1. Dans la scène 2 de *La Jalousie du Barbouillé*, le Barbouillé qualifie le Docteur de «ramoneur de cheminée». Peut-être s'agit-il là d'une allusion à cette farce très populaire à l'époque.

LE MÉDECIN VOLANT, UNE PIÈCE DANS L'ESPRIT DE LA *COMMEDIA*

Le sujet du *Médecin volant* est directement inspiré de la *commedia dell'arte*. En effet, un *Trufaldino medico volante* (*Trufaldino, médecin volant*) de Francesco Leoni, créé en 1618, un *Medico volante* (*Le Médecin volant*), joué par Scaramouche en 1647, et plusieurs recueils de canevas contenant un *medico volante* tendent à indiquer que ce sujet était souvent mis en scène par les comédiens italiens[1]. Il est probable que Molière ait assisté à la représentation d'une de ces pièces, donnée par des Italiens, et qu'il s'en soit inspiré pour composer son *Médecin volant*.

Héritiers des histrions, des bouffons, des saltimbanques et amuseurs itinérants, les comédiens italiens, qui se sont constitués en troupes professionnelles au début du XVIᵉ siècle, ont commencé à développer leur art en France sur l'invitation de Catherine de Médicis à la fin du XVIᵉ siècle et se sont imposés dans la capitale au cours de la première moitié du XVIIᵉ. Leur conception du théâtre diffère de celle des acteurs français. Contrairement à ces derniers, ils n'apprennent pas un texte mais s'appuient sur un canevas – résumé des principales péripéties de l'intrigue – accroché en coulisses. Chaque comédien improvise en ayant à l'esprit un répertoire de répliques, de

---

1. Ces recueils de canevas dans lesquels figurent *Trufaldino medico volante* et *Medico volante*, qui datent du XVIIᵉ siècle, sont le recueil de Bartoli, *Scenari inediti della commedia dell'arte*, publié à Florence en 1880, et un recueil de canevas napolitains anonyme.

gestes et de mimiques caractéristiques de son personnage, et qu'il adapte selon les situations[1]. Si le jeu des comédiens français est plutôt statique, celui des comédiens italiens est très dynamique : jeux de scène, déplacements et acrobaties sont multiples. Ils ne parlent pas français mais pallient cet inconvénient en s'exprimant à l'aide de *lazzi*, plaisanteries moqueuses prononcées avec un ton appuyé et adaptées aux circonstances, compréhensibles par tous. Enfin, ce qui caractérise ce théâtre, ce sont ses types – personnages que l'on reconnaît à leur masque et à leur costume et dont on devine très vite la fonction et le caractère : Arlequin, Brighella, Polichinelle – les *zanni* ou valets –, Cinthio, Flavio, Ottavio, Leandro – les amoureux –, Isabelle, Flaminia, Silvia – les amoureuses –, Pantalon et le Docteur – les vieillards –, Licetta et Colombine – les soubrettes…

Outre son sujet, plusieurs éléments du *Médecin volant* rappellent cet univers : le déguisement du valet en médecin pour permettre à son maître de conquérir celle qu'il aime ; les personnages – Gorgibus rappelle Pantalon, le vieillard ridicule ; Sganarelle Arlequin, le valet bouffon ; le médecin ignorant joué par Sganarelle s'apparente au Docteur ; Valère est le type de l'amoureux ; et Lucinde de l'amoureuse… Enfin, sur le plan de la dramaturgie, la pièce recourt au comique de mots – les expressions qu'utilise Sganarelle pour faire croire qu'il est un véritable médecin (scènes 4 et 8) –, au comique de geste – avec Sganarelle jouant alternativement le médecin et son frère et embras-

---

1. Dans la scène 3 du *Médecin volant*, la didascalie « galimatias », qui indique que l'auteur laisse le soin d'improviser au comédien qui incarne Gros-René, est caractéristique des canevas de la *commedia dell'arte*.

sant son chapeau et sa fraise placés au bout de son coude – ou au comique de situation – telle la scène de querelle imaginée par Sganarelle, interprétant tour à tour le médecin et son frère, et changeant d'habit en passant par la fenêtre. Parce qu'il a plusieurs fois croisé la route des comédiens italiens, il n'est pas étonnant que Molière ait écrit sa pièce dans l'esprit de la *commedia dell'arte*.

DEUX COMÉDIES SATIRIQUES

Corriger les mœurs de ses contemporains par le rire, tel est l'objectif que poursuit Molière à travers ses comédies. Parmi ses cibles privilégiées, on trouve des bourgeois, des paysans, des précieux, des dévots et des médecins… La satire de la médecine et de ses praticiens est une tradition ancienne du comique populaire.

La satire est un procédé littéraire qui consiste à faire la critique de quelqu'un ou de quelque chose en s'en moquant. Dans ses deux petites comédies, Molière raille ces personnages qui se disent médecins parce qu'ils portent une robe et un bonnet, et raille aussi la médecine qu'ils exercent. Il leur reproche de recourir à des termes et à des phrases dont ils ne comprennent pas le sens pour dissimuler leur ignorance, d'appliquer mécaniquement des remèdes pour masquer leur incapacité à soigner et à guérir leurs patients, d'abuser de la crédulité de ces derniers et d'être plus attentifs à leurs gains qu'à la santé de ceux qui les sollicitent.

L'habit ne fait pas le médecin… Telle pourrait être la devise de Molière. Il n'attaque pas les médecins attentifs aux nouvelles découvertes scientifiques ni la médecine comme source de progrès, mais les faux médecins ou médecins imposteurs et la fausse médecine qu'ils délivrent, selon lui « une des plus grandes folies qui soit parmi les hommes[1] ».

MOLIÈRE OU LE « GÉNIE COMIQUE »

Tout au long de sa carrière, Molière alterne les petites comédies inspirées de la tradition de la farce, comme *La Jalousie du Barbouillé* et *Le Mariage forcé* (1664), ou de la *commedia dell'arte*, comme *Le Docteur amoureux* (1657) et *Le Médecin volant*, les comédies légères en trois actes, comme *L'Amour médecin* (1665), *Le Médecin malgré lui* (1666) et *Les Fourberies de Scapin* (1671), et les grandes comédies traitant sur le mode comique de sujets plus sérieux, comme *Le Tartuffe* (1664), *Le Misanthrope* (1666) et *Le Malade imaginaire* (1673).

Dans *La Jalousie du Barbouillé* et *Le Médecin volant*, sont déjà présents les éléments qui feront plus tard la spécificité du théâtre de Molière. Son génie aura été de

---

1. Molière n'aura de cesse de se moquer de ces imposteurs, que ce soit dans ses petites comédies, comme *Le Mariage forcé*, ses comédies légères, comme *L'Amour médecin* ou *Le Médecin malgré lui*, ou ses grandes comédies, comme *Dom Juan*, *Le Misanthrope*, *Monsieur de Pourceaugnac* et *Le Malade imaginaire*.

réussir à renouveler la comédie en opérant une synthèse entre sa connaissance de traditions théâtrales comiques différentes et son expérience de comédien, de directeur de troupe et d'auteur.

La comédie est longtemps demeurée dans l'ombre de la tragédie et le personnage comique dans l'ombre du héros tragique. Molière a tenté de s'imposer comme auteur tragique, avec une pièce intitulée *Dom Garcie de Navarre* (1661), et comme interprète de l'œuvre de Pierre Corneille, en jouant *Nicomède*, *Héraclius*, *Rodogune*, *Cinna*, *La Mort de Pompée*, *Attila*, *Tite et Bérénice*… et en allant même jusqu'à se faire représenter par le peintre Nicolas Mignard dans le rôle de César de *La Mort de Pompée*… Mais il n'a pas été le grand auteur tragique qu'il a un temps, dans l'ombre du grand Corneille, peut-être rêvé d'être. Cependant, en tournant en ridicule les travers de ses contemporains et en renouvelant la comédie pour corriger les mœurs de ces derniers tout en les divertissant, il a donné ses lettres de noblesse au personnage comique.

**REPÈRES
HISTORIQUES
ET CULTURELS**

———

**VIE
ET ŒUVRE
DE L'AUTEUR**

*1622
1673*

REPÈRES HISTORIQUES ET CULTURELS

1610   Assassinat d'Henri IV. Louis XIII n'a que neuf ans. Sa mère, Marie de Médicis, assure la régence.

1617   Début du règne personnel de Louis XIII.

1621   Naissance de Jean de La Fontaine.

1622   Naissance de Blaise Pascal.

1629   Richelieu, Premier ministre.

1631   À Versailles, construction d'un petit château qui sert de relais de chasse à Louis XIII.

1635   Fondation de l'Académie française par Richelieu.

1637   Publication du *Discours de la méthode*, de Descartes.
Création du *Cid*, de Corneille.

1638   Naissance du futur Louis XIV.

1639   Naissance de Jean Racine.

1640   Arrivée à Paris de Tiberio Fiorilli, dit Scaramouche.

VIE ET ŒUVRE
DE L'AUTEUR

1622	Naissance à Paris de Jean-Baptiste Poquelin, fils de Jean Poquelin, tapissier du roi, et de Marie Cressé.
1631	Son père achète la prestigieuse charge de « tapissier et valet de chambre ordinaire du roi ».
1632	Mort de la mère de Jean-Baptiste.
1633	Accompagné de son grand-père maternel Louis Cressé, il fréquente régulièrement l'Hôtel de Bourgogne, où se produisent les farceurs italiens.
1635	Il entre au collège de Clermont, tenu par les jésuites, l'actuel lycée Louis-le-Grand. Il y étudiera jusqu'en 1639.
1637	Il s'engage à reprendre la charge de « tapissier et valet de chambre ordinaire du roi » de son père.
1640	Il quitte Paris pour Orléans, où il entreprend des études de droit. De retour à Paris, il rencontre Scaramouche et se lie avec une famille de comédiens, les Béjart.

REPÈRES HISTORIQUES
ET CULTURELS

1642	Mort de Richelieu. Mazarin devient Premier ministre.
1643	Mort de Louis XIII. Début du règne de Louis XIV, qui n'a que cinq ans. Sa mère, Anne d'Autriche, assure la régence avec l'aide de Mazarin.
1645	Naissance de Jean de La Bruyère.
1648	Début de la Fronde (révolte contre le pouvoir royal, menée successivement par le parlement et par les princes).
1650	Mort de René Descartes.
1652	Fin de la Fronde.
1654	Sacre de Louis XIV.

VIE ET ŒUVRE
DE L'AUTEUR

1642

Il obtient sa licence en droit à Orléans, devient avocat, mais abandonne cette voie et choisit de devenir comédien. Tombé amoureux de la jeune Madeleine Béjart, il s'installe dans la famille de cette dernière.

1643

Il renonce à reprendre la charge de « tapissier ordinaire du roi », héritée de son père, et fonde avec les Béjart l'Illustre-Théâtre.

1644

Il devient directeur de la troupe et prend le nom de Molière.

1645

Criblé de dettes, il est emprisonné au Châtelet. Libéré grâce à l'intervention de son père, il quitte Paris pour la province. Il y joue de nombreuses farces dont quelques-unes seulement nous sont parvenues.

1653

Le prince de Conti accorde sa protection à la troupe.

1655

Molière crée à Lyon sa première comédie en cinq actes et en vers, *L'Étourdi ou les Contretemps.*

1656

Dépit amoureux, la deuxième pièce de Molière, est jouée à Béziers.

Chronologie

1660	Mariage de Louis XIV et de Marie-Thérèse, infante d'Espagne. Départ précipité de la troupe des Italiens, pour des raisons obscures.
1661	Mort de Mazarin. Début du règne personnel de Louis XIV. Début des travaux de rénovation du château de Versailles par Le Vau et Le Nôtre.
1662	Mort de Blaise Pascal.
1664	Début des mouvements contre les théâtres, organisés en province par les dévots.

1658

Molière est de retour à Paris. Il reçoit la
protection de Monsieur, frère du roi,
joue *Nicomède*, de Pierre Corneille, puis
l'une de ses farces, *Le Docteur amoureux*,
devant le roi et la cour. Il obtient le droit
de s'installer au Petit-Bourbon en
alternance avec les Italiens.

1659

Molière et sa troupe représentent
Le Médecin volant et créent *Les Précieuses
ridicules*, une comédie qui fait la satire
de la préciosité.

1660

La Jalousie du Barbouillé.
La troupe s'installe dans la salle du Palais-
Royal, construite par Richelieu et à
l'origine destinée à l'opéra (elle accueille
aujourd'hui la Comédie-Française).
Sganarelle ou le Cocu imaginaire, histoire d'un
homme angoissé à l'idée de devenir cocu.

1661

Les Fâcheux, comédie d'un nouveau genre
puisqu'il s'agit d'une comédie-ballet.
L'École des maris, comédie dans laquelle
sont opposées deux manières d'éduquer
les jeunes filles.

1662

Molière épouse Armande Béjart, fille
(ou sœur ?) de Madeleine Béjart.
L'École des femmes, comédie sur
l'éducation des jeunes femmes.

1663

Début de la querelle de *L'École des femmes*.
Pour répondre à ses détracteurs, Molière
écrit deux pièces : *La Critique de l'École des
femmes* et *L'Impromptu de Versailles*.

1664

Molière baptise son fils. Louis XIV
en est le parrain. L'enfant meurt
prématurément.
Le Tartuffe, comédie raillant les faux
dévots. La pièce est aussitôt interdite.

Chronologie

29

REPÈRES HISTORIQUES ET CULTURELS

1665   Colbert est nommé contrôleur général des Finances.

1666   Mort d'Anne d'Autriche.

1667   Création d'*Andromaque,* de Racine.

1668   Publication du premier recueil des *Fables* de La Fontaine (six premiers livres).

1670   Composition de la musique du *Bourgeois gentilhomme,* par Lulli.

1672   Installation de Louis XIV et de la cour à Versailles.

1665   *Dom Juan*, comédie qui met en scène un
séducteur défiant Dieu et la société. La
pièce n'est pas officiellement interdite
mais, malgré le vif succès qu'elle
rencontre, elle est retirée après quinze
représentations. La troupe devient
« troupe du roi ».

1666   *Le Misanthrope.*
Le Médecin malgré lui, comédie centrée sur
les facéties du valet Sganarelle, travesti
en médecin.

1668   Molière et sa troupe créent *Amphitryon*,
George Dandin – comédie sur les amours
tumultueuses d'un paysan naïf, qui
reprend une scène de *La Jalousie du
Barbouillé* – et *L'Avare*.

1669   Le roi lève l'interdiction qui frappait
Le Tartuffe. La pièce est à nouveau jouée
avec succès.

1670   *Le Bourgeois gentilhomme*, comédie-ballet.

1671   *Les Fourberies de Scapin.*

1672   *Les Femmes savantes.*

1673   *Le Malade imaginaire*, comédie-ballet
mettant en scène un vieillard obsédé
à l'idée d'être malade.
Au cours de la quatrième représentation,
le 17 février, Molière est pris de violentes
convulsions sur scène. Il meurt quelques
heures plus tard. Il est inhumé de nuit
dans le cimetière Saint-Joseph, après une
intervention de Louis XIV, à la demande
d'Armande Béjart qui souhaitait que son
époux fût enterré chrétiennement.

Chronologie

Note sur l'établissement des textes : les textes de *La Jalousie du Barbouillé* et du *Médecin volant* n'ont pas été publiés du vivant de Molière. Ils ont été retrouvés au début du XVIIIe siècle par un certain Jean-Baptiste Rousseau, dramaturge et poète. Ces deux comédies devaient être insérées dans l'édition de 1734 des *Œuvres de Molière*. Elles n'y figurèrent pas et il fallut attendre 1819 pour qu'elles soient publiées, d'après les manuscrits de Jean-Baptiste Rousseau, sous le titre *Deux Pièces inédites de Molière*. Elles apparaissent depuis cette date dans toutes les éditions des œuvres complètes de Molière. La première d'entre elles qui les reproduit est l'édition d'Eugène Despois et de Paul Mesnard, en 1873, que reprennent les textes du présent volume.

La Jalousie du Barbouillé

LE BARBOUILLÉ, mari d'Angélique.
LE DOCTEUR.
ANGÉLIQUE, fille de Gorgibus.
VALÈRE, amant [2] d'Angélique.
CATHAU, suivante [3] d'Angélique.
GORGIBUS, père d'Angélique.
VILLEBREQUIN.

---

1. *Acteurs* : aux XVIIe et XVIIIe siècles, c'est par ce terme que l'on désigne les comédiens. L'acteur est « celui qui représente un personnage dans une pièce de théâtre » (*Dictionnaire de l'Académie*, 1694).
2. *Amant* : celui qui aime et qui est aimé en retour.
3. *Suivante* : domestique.

Scène première

LE BARBOUILLÉ

Il faut avouer que je suis le plus malheureux de tous les hommes. J'ai une femme qui me fait enrager : au lieu de me donner du soulagement et de faire les choses à mon souhait [1], elle me fait donner au diable [2] vingt fois le jour ; au lieu de se tenir à la maison, elle aime la promenade, la bonne chère [3], et fréquente je ne sais quelle sorte de gens. Ah ! pauvre Barbouillé [4], que tu es misérable ! Il faut pourtant la punir. Si je la tuais... L'invention [5] ne vaut rien, car tu serais pendu. Si tu la faisais mettre en prison... La carogne [6] en sortirait avec son passe-partout. Que diable faire donc ? Mais voilà Monsieur le Docteur qui passe par ici : il faut que je lui demande un bon conseil sur ce que je dois faire.

---

1. *À mon souhait* : comme je le veux.
2. *Elle me fait donner au diable* : elle m'impose des choses pénibles.
3. *Bonne chère* : bons repas.
4. *Barbouillé* : « personne qui dit ou fait quelque chose de fort déraisonnable, et de fort ridicule » (*Dictionnaire de l'Académie*, 1694).
5. *Invention* : trouvaille.
6. *Carogne* : charogne.

Scène 2

LE DOCTEUR, LE BARBOUILLÉ

LE BARBOUILLÉ. – Je m'en allais vous chercher pour vous faire une prière [1] sur une chose qui m'est d'importance.

LE DOCTEUR. – Il faut que tu sois bien mal appris, bien lourdaud [2], et bien mal morigéné [3], mon ami, puisque tu m'abordes sans ôter ton chapeau, sans observer *rationem loci, temporis et personae* [4]. Quoi? débuter d'abord par un discours mal digéré [5], au lieu de dire : *Salve*, vel *Salvus sis, Doctor Doctorum eruditissime* [6] *!* Hé! pour qui me prends-tu, mon ami?

LE BARBOUILLÉ. – Ma foi, excusez-moi : c'est que j'avais l'esprit en écharpe [7], et je ne songeais pas à ce que je faisais; mais je sais bien que vous êtes galant homme.

LE DOCTEUR. – Sais-tu bien d'où vient le mot de *galant homme?*

LE BARBOUILLÉ. – Qu'il vienne de Villejuif ou d'Aubervilliers, je ne m'en soucie guère.

36

20

25

30

---

1. *Pour vous faire une prière* : pour vous solliciter, pour connaître votre avis.
2. *Lourdaud* : rude, sans éducation.
3. *Mal morigéné* : mal élevé.
4. *Rationem loci, temporis et personae* : « ce qui convient raisonnablement au temps, au lieu et à la personne », en latin.
5. *Mal digéré* : irréfléchi.
6. *Salve,* vel *Salvus sis, Doctor Doctorum eruditissime !* : « Salut, ou plutôt Portez-vous bien, Docteur, le plus érudit de tous les docteurs! » (en latin).
7. *J'avais l'esprit en écharpe* : je ne pensais pas à ce que je disais. « Un homme a l'esprit en écharpe, pour dire [...] qu'il n'a point de jugement, de bon sens » (*Dictionnaire de Furetière*, 1690).

LE DOCTEUR. – Sache que le mot de *galant homme*
35 vient d'*élégant*; prenant le *g* et l'*a* de la dernière
syllabe, cela fait *ga*, et puis prenant *l*, ajoutant un *a*
et les deux dernières lettres, cela fait *galant*, et puis
ajoutant *homme*, cela fait *galant homme*. Mais encore
pour qui me prends-tu?

40 LE BARBOUILLÉ. – Je vous prends pour un docteur. Or
çà, parlons un peu de l'affaire que je vous veux pro-
poser. Il faut que vous sachiez...

LE DOCTEUR. – Sache auparavant que je ne suis pas
seulement un docteur, mais que je suis une, deux,
45 trois, quatre, cinq, six, sept, huit, neuf, et dix fois
docteur :
1° Parce que, comme l'unité est la base, le fonde-
ment et le premier de tous les nombres, aussi, moi,
je suis le premier de tous les docteurs, le docte des
50 doctes.
2° Parce qu'il y a deux facultés [1] nécessaires pour la
parfaite connaissance de toutes choses : le sens et
l'entendement; et comme je suis tout sens et tout
entendement, je suis deux fois docteur.

55 LE BARBOUILLÉ. – D'accord. C'est que...

LE DOCTEUR. – 3° Parce que le nombre de trois est
celui de la perfection, selon Aristote [2]; et comme je
suis parfait, et que toutes mes productions le sont
aussi, je suis trois fois docteur.

60 LE BARBOUILLÉ. – Hé bien! Monsieur le Docteur...

LE DOCTEUR. – 4° Parce que la philosophie a quatre
parties : la logique, morale, physique et méta-

37

---

1. *Facultés* : capacités intellectuelles. Le *sens* désigne la capacité
à raisonner et l'*entendement* la capacité à comprendre.
2. *Aristote* : philosophe grec auteur de traités de logique, de
morale, de physique et de métaphysique (384-322 av. J.-C.).

physique[1] ; et comme je les possède toutes quatre, et que je suis parfaitement versé en icelles[2], je suis quatre fois docteur.   65

LE BARBOUILLÉ. – Que diable ! je n'en doute pas. Écoutez-moi donc.

LE DOCTEUR. – 5° Parce qu'il y a cinq universelles[3] : le genre, l'espèce, la différence, le propre et l'accident, sans la connaissance desquels il est impossi- 70 ble de faire aucun bon raisonnement ; et comme je m'en sers avec avantage, et que j'en connais l'utilité, je suis cinq fois docteur.

LE BARBOUILLÉ. – Il faut que j'aie bonne patience.

LE DOCTEUR. – 6° Parce que le nombre de six est le 75 nombre du travail[4] ; et comme je travaille incessamment pour ma gloire, je suis six fois docteur.

38   LE BARBOUILLÉ. – Ho ! parle tant que tu voudras.

LE DOCTEUR. – 7° Parce que le nombre de sept est le nombre de la félicité[5] ; et comme je possède une 80 parfaite connaissance de tout ce qui peut rendre heureux, et que je le suis en effet par mes talents,

----

1. La *logique* est la science qui permet de perfectionner son raisonnement ; la *morale* apprend à bien conduire sa vie ; la *physique* enseigne les propriétés de la matière, de l'espace et du temps et la *métaphysique* à élever son esprit afin de pouvoir contempler les choses abstraites et spirituelles.
2. *Versé en icelles* : instruit dans chacune d'elles.
3. *Universelles* : ou universaux ; dans l'histoire de la philosophie et de la logique, notions qui définissent la manière dont un concept est lié au sujet.
4. La Genèse indique que le monde a été créé en six jours.
5. Le chiffre sept est récurrent dans la Bible (la Genèse indique notamment que Dieu a créé un monde parfait en six jours et s'est reposé le septième) : il renvoie à la perfection.

je me sens obligé de dire de moi-même : *O ter qua-*
tuorque beatum[1]!

85   8° Parce que le nombre de huit est le nombre de
la justice, à cause de l'égalité qui se rencontre en
lui [2], et que la justice et la prudence avec laquelle je
mesure et pèse toutes mes actions me rendent huit
fois docteur.

90   9° Parce qu'il y a neuf Muses [3], et que je suis également chéri d'elles.

    10° Parce que, comme on ne peut passer le nombre
de dix sans faire une répétition des autres nombres,
et qu'il est le nombre universel, aussi, aussi, quand
95 on m'a trouvé, on a trouvé le docteur universel : je
contiens en moi tous les autres docteurs. Ainsi tu vois
par des raisons plausibles, vraies, démonstratives et
convaincantes, que je suis une, deux, trois, quatre,
cinq, six, sept, huit, neuf, et dix fois docteur.

100 LE BARBOUILLÉ. – Que diable est ceci ? Je croyais trou-   **39**
ver un homme bien savant, qui me donnerait un
bon conseil, et je trouve un ramoneur de cheminée qui, au lieu de me parler, s'amuse à jouer à la
mourre [4]. Un, deux, trois, quatre, ha, ha, ha ! – Oh

---

1. *O ter quatuorque beatum !* : « ô trois et quatre fois heureux ! »
(en latin). Mais le médecin se trompe : il aurait fallu utiliser
quater et non *quatuor*.
2. Le chiffre huit est le symbole de l'équilibre. C'est la raison
pour laquelle il est associé à la justice.
3. *Muses* : ce terme désigne les neufs déesses grecques sym-
bolisant les arts – Clio (histoire), Euterpe (musique), Thalie
(comédie), Melpomène (tragédie), Terpsichore (danse), Erato
(élégie), Polymnie (poésie lyrique), Uranie (astronomie),
Calliope (éloquence).
4. *Jouer à la mourre* : « jeu fort commun en Italie, que deux personnes jouent ensemble en se montrant les doigts en partie
élevés et en partie fermés et en devinant en même temps le
nombre de ceux qui sont levés » (*Dictionnaire de Furetière*, 1690).

bien ! ce n'est pas cela : c'est que je vous prie de 105
m'écouter, et croyez que je ne suis pas un homme
à vous faire perdre vos peines, et que si vous me
satisfaisiez sur ce que je veux de vous, je vous donnerai ce que vous voudrez ; de l'argent, si vous en
voulez. 110

LE DOCTEUR. – Hé ! De l'argent.

LE BARBOUILLÉ. – Oui, de l'argent, et toute autre chose
que vous pourriez demander.

LE DOCTEUR, *troussant sa robe derrière son cul*. – Tu me prends
donc pour un homme à qui l'argent fait tout faire, 115
pour un homme attaché à l'intérêt, pour une âme
mercenaire[1] ? Sache, mon ami, que quand tu me
donnerais une bourse pleine de pistoles[2], et que
cette bourse serait dans une riche boîte, cette boîte
dans un étui précieux, cet étui dans un coffret admi- 120
rable, ce coffret dans un cabinet curieux[3], ce cabinet dans une chambre magnifique, cette chambre
dans un appartement agréable, cet appartement
dans un château pompeux[4], ce château dans une
citadelle incomparable, cette citadelle dans une 125
ville célèbre, cette ville dans une île fertile, cette île
dans une province opulente[5], cette province dans
une monarchie florissante, cette monarchie dans
tout le monde ; et que tu me donnerais le monde
où serait cette monarchie florissante, où serait 130
cette province opulente, où serait cette île fertile,
où serait cette ville célèbre, où serait cette citadelle
incomparable, où serait ce château pompeux, où

40

---

1. *Mercenaire* : qui ne travaille que pour un salaire, intéressé.
2. *Pistoles* : ancienne monnaie d'or battue en Espagne, en Italie.
3. *Cabinet curieux* : cabinet de curiosités.
4. *Pompeux* : luxueux.
5. *Opulente* : riche.

serait cet appartement agréable, où serait cette
135   chambre magnifique, où serait ce cabinet curieux,
où serait ce coffret admirable, où serait cet étui
précieux, où serait cette riche boîte dans laquelle
serait enfermée la bourse pleine de pistoles, que je
me soucierais aussi peu de ton argent et de toi que
140   de cela.

LE BARBOUILLÉ. – Ma foi, je m'y suis mépris [1] : à cause
qu'il est vêtu comme un médecin, j'ai cru qu'il lui
fallait parler d'argent ; mais puisqu'il n'en veut
point, il n'y a rien de plus aisé que de le contenter.
145   Je m'en vais courir après lui.

Scène 3

ANGÉLIQUE, VALÈRE, CATHAU

41

ANGÉLIQUE. – Monsieur, je vous assure que vous m'obligez beaucoup [2] de me tenir quelquefois compagnie : mon mari est si mal bâti, si débauché, si
ivrogne, que ce m'est un supplice d'être avec lui,
150   et je vous laisse à penser quelle satisfaction on peut
avoir d'un rustre [3] comme lui.

VALÈRE. – Mademoiselle, vous me faites trop d'honneur de me vouloir souffrir [4], et je vous promets
de contribuer de tout mon pouvoir à votre divertis-
155   sement ; et que, puisque vous témoignez [5] que ma
compagnie ne vous est point désagréable, je vous

1. *Je m'y suis mépris* : je me suis trompé.
2. *Vous m'obligez beaucoup* : je vous suis très reconnaissante.
3. *Rustre* : personnage grossier.
4. *Me vouloir souffrir* : supporter ma présence.
5. *Vous témoignez* : vous m'assurez.

ferai connaître combien j'ai de joie de la bonne nouvelle que vous m'apprenez, par mes empressements[1].

CATHAU. – Ah! changez de discours : voyez porte-guignon[2] qui arrive. 160

Scène 4

LE BARBOUILLÉ, VALÈRE, ANGÉLIQUE, CATHAU

VALÈRE. – Mademoiselle, je suis au désespoir de vous apporter de si méchantes[3] nouvelles; mais aussi bien les auriez-vous apprises de quelque autre : et puisque votre frère est fort malade... 165

ANGÉLIQUE. – Monsieur, ne m'en dites pas davantage; je suis votre servante, et vous rends grâces de[4] la peine que vous avez prise.

LE BARBOUILLÉ. – Ma foi, sans aller chez le notaire, voilà le certificat de mon cocuage. Ha! ha! Madame 170 la carogne, je vous trouve avec un homme, après toutes les défenses que je vous ai faites, et vous me voulez envoyer de Gemini en Capricorne[5]!

42

---

1. *Empressements* : hâte, enthousiasme.
2. *Porte-guignon* : surnom donné au Barbouillé, dont la venue est signe de malchance ; il est celui qui porte la « guigne ».
3. *Méchantes* : mauvaises.
4. *Vous rends grâces de* : vous remercie pour.
5. Les gémeaux (*Gemini*) symbolisent l'union et la fidélité dans le couple alors que le *Capricorne* représente le cocuage, les cornes de l'animal renvoyant à celles dont on affuble le mari lorsqu'il est trompé.

ANGÉLIQUE. – Hé bien ! faut-il gronder [1] pour cela ? Ce
175 Monsieur vient de m'apprendre que mon frère est
bien malade : où est le sujet de querelles ?

CATHAU. – Ah ! le voilà venu : je m'étonnais bien si
nous aurions longtemps du repos.

LE BARBOUILLÉ. – Vous vous gâteriez [2], par ma foi,
180 toutes deux, Mesdames les carognes ; et toi, Cathau,
tu corromps ma femme : depuis que tu la sers, elle
ne vaut pas la moitié de ce qu'elle valait.

CATHAU. – Vraiment oui, vous nous la baillez bonne [3].

ANGÉLIQUE. – Laisse là cet ivrogne ; ne vois-tu pas qu'il
185 est si soûl qu'il ne sait ce qu'il dit ?

Scène 5

GORGIBUS, VILLEBREQUIN,
ANGÉLIQUE, CATHAU, LE BARBOUILLÉ

GORGIBUS. – Ne voilà pas encore mon maudit gendre
qui querelle ma fille ?

VILLEBREQUIN. – Il faut savoir ce que c'est.

GORGIBUS. – Hé quoi ? Toujours se quereller ! Vous
190 n'aurez point la paix dans votre ménage ?

LE BARBOUILLÉ. – Cette coquine-là m'appelle ivrogne.
Tiens, je suis bien tenté de te bailler une quinte
major [4], en présence de tes parents.

---

1. *Gronder* : s'emporter.
2. *Vous vous gâteriez* : vous vous feriez du mal.
3. *Vous nous la baillez bonne* : vous ne dites que des bêtises.
4. *De te bailler une quinte major* : de te donner une claque ; au jeu
du piquet – un jeu de cartes –, la quinte major représente une
main réunissant une suite de cinq cartes d'une même couleur
commençant par l'as.

GORGIBUS. – Je dédonne au diable l'escarcelle[1], si vous l'aviez fait. 195

ANGÉLIQUE. – Mais aussi c'est lui qui commence toujours à…

CATHAU. – Que maudite soit l'heure que[2] vous avez choisi ce grigou[3] !…

VILLEBREQUIN. – Allons, taisez-vous, la paix ! 200

Scène 6

LE DOCTEUR, VILLEBREQUIN, GORGIBUS, CATHAU, ANGÉLIQUE, LE BARBOUILLÉ

LE DOCTEUR. – Qu'est ceci ? quel désordre ! quelle querelle ! quel grabuge ! quel vacarme ! quel bruit ! quel différend ! quelle combustion[4] ! Qu'y a-t-il, Messieurs ? Qu'y a-t-il ? Qu'y a-t-il ? Çà, çà, voyons un peu s'il n'y a pas moyen de vous mettre 205 d'accord, que je sois votre pacificateur, que j'apporte l'union chez vous ?

GORGIBUS. – C'est mon gendre et ma fille qui ont eu bruit ensemble[5].

LE DOCTEUR. – Et qu'est-ce que c'est ? Voyons, dites- 210 moi un peu la cause de leur différend.

GORGIBUS. – Monsieur…

LE DOCTEUR. – Mais en peu de paroles.

---

1. *Je dédonne au diable l'escarcelle* : je donne ma bourse au diable (juron).
2. *Que* : où.
3. *Grigou* : coquin, misérable.
4. *Quelle combustion !* : quelle agitation !
5. *Qui ont eu bruit ensemble* : qui se sont disputés.

GORGIBUS. – Oui-da[1]. Mettez donc votre bonnet[2].

215 **LE DOCTEUR.** – Savez-vous d'où vient le mot bonnet ?

GORGIBUS. – Nenni[3].

LE DOCTEUR. – Cela vient de *bonum est*, « bon est, voilà qui est bon » parce qu'il garantit des[4] catarrhes[5] et fluxions[6].

220 **GORGIBUS.** – Ma foi, je ne savais pas cela.

LE DOCTEUR. – Dites donc vite cette querelle.

GORGIBUS. – Voici ce qui est arrivé…

LE DOCTEUR. – Je ne crois pas que vous soyez homme à me tenir[7] longtemps, puisque je vous en prie. J'ai
225 quelques affaires pressantes qui m'appellent à la ville ; mais pour remettre la paix dans votre famille, je veux bien m'arrêter un moment.

GORGIBUS. – J'aurai fait en un moment.

LE DOCTEUR. – Soyez donc bref.

230 **GORGIBUS.** – Voilà qui est fait incontinent[8].

LE DOCTEUR. – Il faut avouer, Monsieur Gorgibus, que c'est une belle qualité que de dire les choses en peu de paroles, et que les grands parleurs[9], au lieu de se faire écouter, se rendent le plus souvent si impor-
235 tuns[10] qu'on ne les entend point : *Virtutem primam*

---

1. *Oui-da* : oui (familier). « Da » vient renforcer l'affirmation.
2. À l'époque de Molière, les médecins portent un bonnet, c'est-à-dire un chapeau noir pointu.
3. *Nenni* : non ; ce terme est souvent utilisé pour répondre à une question qui contient en elle la réponse.
4. *Il garantit des* : il protège contre.
5. *Catarrhes* : rhumes.
6. *Fluxions* : ici, fluxions de poitrine, pneumonies.
7. *Tenir* : retenir.
8. *Incontinent* : immédiatement.
9. *Grands parleurs* : ici, ceux qui parlent longuement.
10. *Importuns* : irritants, pénibles.

45

esse puta compescere linguam[1]. Oui, la plus belle qualité d'un honnête homme, c'est de parler peu.

GORGIBUS. – Vous saurez donc…

LE DOCTEUR. – Socrate[2] recommandait trois choses fort soigneusement à ses disciples : la retenue dans les actions, la sobriété dans le manger, et de dire les choses en peu de paroles. Commencez donc, Monsieur Gorgibus. 240

GORGIBUS. – C'est ce que je veux faire.

LE DOCTEUR. – En peu de mots, sans façon, sans vous amuser à beaucoup de discours, tranchez-moi d'un apophtegme[3], vite, vite, Monsieur Gorgibus, dépêchons, évitez la prolixité[4]. 245

GORGIBUS. – Laissez-moi donc parler.

LE DOCTEUR. – Monsieur Gorgibus, touchez là[5] : vous parlez trop ; il faut que quelque autre me dise la cause de leur querelle. 250

VILLEBREQUIN. – Monsieur le Docteur, vous saurez que…

LE DOCTEUR. – Vous êtes un ignorant, un indocte[6], un homme ignare de toutes les bonnes disciplines, un âne en bon français. Hé quoi ? Vous commencez la 255

46

---

1. *Virtutem primam esse puta compescere linguam* : « songe que la première vertu est de tenir sa langue » (en latin). Ce précepte est tiré d'un petit livre de morale pour enfants : le *Catonet.*

2. *Socrate* : philosophe grec (470-399 av. J.-C.) connu grâce aux écrits de son disciple Platon (427-347 av. J.-C.), qui en a fait le personnage central de ses *Dialogues.*

3. *Tranchez-moi d'un apophtegme* : évitez-moi d'avoir à écouter des maximes, une parole grandiloquente.

4. *Prolixité* : bavardages inutiles.

5. *Touchez là* : donnez-moi la main. Cette formule était utilisée pour signifier son accord. Ici, le Docteur l'emploie pour signifier le contraire…

6. *Un indocte* : un non-savant ; contraire du docte.

narration sans avoir fait un mot d'exorde[1]? Il faut
que quelque autre me conte le désordre. Mademoi-
260   selle, contez-moi un peu le détail de ce vacarme.

ANGÉLIQUE. – Voyez-vous bien là mon gros coquin,
mon sac à vin[2] de mari?

LE DOCTEUR. – Doucement, s'il vous plaît : parlez avec
respect de votre époux, quand vous êtes devant la
265   moustache d'un docteur comme moi.

ANGÉLIQUE. – Ah! vraiment oui, docteur! Je me
moque bien de vous et de votre doctrine, et je suis
docteur quand je veux.

LE DOCTEUR. – Tu es docteur quand tu veux, mais je
270   pense que tu es un plaisant docteur. Tu as la mine
de suivre fort ton caprice : des parties d'oraison[3],
tu n'aimes que la conjonction ; des genres, le masculin ; des déclinaisons, le génitif[4]; de la syntaxe,
mobile cum fixo[5]; et enfin de la quantité, tu n'aimes
275   que le dactyle[6], *quia constat ex una longa et duabus
brevibus*[7]. Venez çà, vous, dites-moi un peu quelle
est la cause, le sujet de votre combustion[8].

LE BARBOUILLÉ. – Monsieur le Docteur…

---

1. *Exorde* : en rhétorique, nom donné à la première partie d'un
discours (préambule, introduction, entrée en matière).
2. *Sac à vin* : ivrogne.
3. *Des parties d'oraison* : des composantes de la grammaire. Ces
composantes sont les suivantes : le nom, le verbe, l'adverbe, le
participe, la préposition et la conjonction.
4. *Génitif* : en latin, cas correspondant au complément du nom.
5. *Mobile cum fixo* : « le mobile et le fixe » (en latin).
6. *Dactyle* : dans la poésie grecque et latine, pied formé d'une
syllabe longue suivie de deux brèves.
7. *Quia constat ex una longa et duabus brevibus* : « parce qu'il est
composé d'une longue et de deux brèves » (en latin).
8. *Combustion* : voir note 4, p. 44.

47

LE DOCTEUR. – Voilà qui est bien commencé : «Monsieur le Docteur!» ce mot de docteur a quelque chose de doux à l'oreille, quelque chose plein d'emphase[1] : « Monsieur le Docteur! » 280

LE BARBOUILLÉ. – À la mienne volonté…

LE DOCTEUR. – Voilà qui est bien : «À la mienne volonté! » La volonté présuppose le souhait, le souhait présuppose des moyens pour arriver à ses fins, et la fin présuppose un objet : voilà qui est bien : «À la mienne volonté! » 285

LE BARBOUILLÉ. – J'enrage.

LE DOCTEUR. – Ôtez-moi ce mot : «J'enrage » ; voilà un terme bas et populaire. 290

LE BARBOUILLÉ. – Hé! Monsieur le Docteur, écoutez-moi, de grâce.

LE DOCTEUR. – *Audi, quaeso*[2], aurait dit Cicéron.

LE BARBOUILLÉ. – Oh! ma foi, si se rompt, si se casse, ou si se brise, je ne m'en mets guère en peine; mais tu m'écouteras, ou je te vais casser ton museau doctoral; et que diable donc est ceci? 295

Le Barbouillé, Angélique, Gorgibus, Cathau, Villebrequin parlent tous à la fois, voulant dire la cause de la querelle, et le Docteur aussi, disant que la paix est une belle chose, et font un bruit confus de leurs voix; et pendant tout le bruit, le Barbouillé attache le Docteur par le pied, et le fait tomber; le Docteur se doit laisser tomber sur le dos; le Barbouillé l'entraîne par la corde qu'il lui a attachée au pied, et, en l'entraînant, le Docteur doit toujours parler, et compte par ses doigts toutes ses raisons[3], comme s'il n'était point à terre, alors qu'il ne paraît plus. 300 305

---

1. *Emphase* : grandiloquence.
2. *Audi, quaeso* : « écoute, s'il te plaît » ; formule attribuée ici à Cicéron, homme politique, avocat et orateur latin (106-43 av. J.-C.).
3. *Toutes ses raisons* : tous ses arguments, toutes ses justifications.

GORGIBUS. – Allons, ma fille, retirez-vous chez vous, et vivez bien avec votre mari.

310 VILLEBREQUIN. – Adieu, serviteur et bonsoir.

Scène 7

VALÈRE, LA VALLÉE, *Angélique s'en va.*

VALÈRE. – Monsieur, je vous suis obligé [1] du soin [2] que vous avez pris, et je vous promets de me rendre à l'assignation [3] que vous me donnez, dans une heure.

315 LA VALLÉE. – Cela ne peut se différer [4] ; et si vous tardez un quart d'heure, le bal sera fini dans un moment, et vous n'aurez pas le bien [5] d'y voir celle que vous aimez, si vous n'y venez tout présentement [6].

49

VALÈRE. – Allons donc ensemble de ce pas.

---

1. *Je vous suis obligé* : je vous suis reconnaissant.
2. *Du soin* : de la peine, de l'intérêt.
3. *Assignation* : convocation.
4. *Se différer* : attendre.
5. *Bien* : plaisir, bonheur.
6. *Tout présentement* : maintenant.

Scène 8

ANGÉLIQUE

Cependant que mon mari n'y est pas, je vais faire 320
un tour à un bal que donne une de mes voisines.
Je serai revenue auparavant lui[1], car il est quelque
part au cabaret[2] : il ne s'apercevra pas que je suis
sortie. Ce maroufle-là[3] me laisse toute seule à la
maison, comme si j'étais son chien. 325

Scène 9

LE BARBOUILLÉ

50   Je savais bien que j'aurais raison[4] de ce diable de Docteur, et de toute sa fichue doctrine. Au diable l'ignorant ! J'ai bien renvoyé toute la science par terre. Il
faut pourtant que j'aille un peu voir si notre bonne
ménagère m'aura fait à souper. 330

Scène 10

ANGÉLIQUE

Que je suis malheureuse ! J'ai été trop tard, l'assem-
blée est finie : je suis arrivée justement comme[5]

---

1. *Auparavant lui* : avant lui.
2. *Cabaret* : taverne.
3. *Ce maroufle-là* : ce lourdaud-là (voir note 2, p. 36).
4. *J'aurais raison* : je viendrais à bout.
5. *Justement comme* : au moment où.

tout le monde sortait ; mais il n'importe [1], ce sera
pour une autre fois. Je m'en vais cependant au logis
335 comme si de rien n'était. Mais la porte est fermée.
Cathau ! Cathau !

Scène 11

LE BARBOUILLÉ, *à la fenêtre*, ANGÉLIQUE

LE BARBOUILLÉ. – Cathau, Cathau ! Hé bien, qu'a-t-elle
fait, Cathau ? et d'où venez-vous, Madame la carogne, à l'heure qu'il est, et par le temps qu'il fait ?

340 ANGÉLIQUE. – D'où je viens ? Ouvre-moi seulement, et
je te le dirai après.

LE BARBOUILLÉ. – Oui ? Ah ! ma foi, tu peux aller coucher d'où tu viens, ou, si tu l'aimes mieux, dans la
rue : je n'ouvre point à une coureuse comme toi.
345 Comment, diable ! Être toute seule à l'heure qu'il
est ! Je ne sais si c'est imagination [2], mais mon front
m'en paraît plus rude de moitié [3].

ANGÉLIQUE. – Hé bien ! pour être toute seule, qu'en
veux-tu dire ? Tu me querelles quand je suis en
350 compagnie : comment faut-il donc faire ?

LE BARBOUILLÉ. – Il faut être retiré [4] à la maison, donner ordre au souper, avoir soin du ménage, des
enfants ; mais sans tant de discours inutiles, adieu,
bonsoir, va-t-en au diable et me laisse en repos.

51

---

1. *Il n'importe* : peu importe.
2. *Si c'est imagination* : si c'est mon imagination.
3. Le Barbouillé fait ici allusion aux cornes dont on affuble le
front des cocus.
4. *Être retiré* : demeurer.

ANGÉLIQUE. – Tu ne veux pas m'ouvrir ? 355

LE BARBOUILLÉ. – Non, je n'ouvrirai pas.

ANGÉLIQUE. – Hé ! Mon pauvre petit mari, je t'en prie, ouvre-moi, mon cher petit cœur.

LE BARBOUILLÉ. – Ah, crocodile ! Ah, serpent dange-reux ! Tu me caresses pour me trahir. 360

ANGÉLIQUE. – Ouvre, ouvre donc !

LE BARBOUILLÉ. – Adieu ! *Vade retro, Satanas*[1].

ANGÉLIQUE. – Quoi ? tu ne m'ouvriras point ?

LE BARBOUILLÉ. – Non.

ANGÉLIQUE. – Tu n'as point de pitié de ta femme, qui 365 t'aime tant ?

LE BARBOUILLÉ. – Non, je suis inflexible : tu m'as offensé, je suis vindicatif[2] comme tous les diables, c'est-à-dire bien fort ; je suis inexorable[3].

ANGÉLIQUE. – Sais-tu bien que si tu me pousses à bout, 370 et que tu me mettes en colère, je ferai quelque chose dont tu te repentiras ?

LE BARBOUILLÉ. – Et que feras-tu, bonne chienne ?

ANGÉLIQUE. – Tiens, si tu ne m'ouvres, je m'en vais me tuer devant la porte ; mes parents, qui sans doute 375 viendront ici auparavant de se coucher, pour savoir si nous sommes bien ensemble, me trouveront morte, et tu seras pendu.

LE BARBOUILLÉ. – Ah, ah, ah, ah, la bonne bête ! et qui y perdra le plus de nous deux ? Va, va, tu n'es pas si 380 sotte que de faire ce coup-là.

---

1. *Vade retro, Satanas* : « arrière, Satan » ; formule d'exorcisme devenue un juron populaire.
2. *Vindicatif* : enclin à la vengeance.
3. *Inexorable* : intraitable.

ANGÉLIQUE. – Tu ne le crois donc pas ? Tiens, tiens, voilà mon couteau tout prêt : si tu ne m'ouvres, je m'en vais tout à cette heure m'en donner dans le
385 cœur.

LE BARBOUILLÉ. – Prends garde, voilà qui est bien pointu.

ANGÉLIQUE. – Tu ne veux donc pas m'ouvrir ?

LE BARBOUILLÉ. – Je t'ai déjà dit vingt fois que je
390 n'ouvrirai point ; tue-toi, crève, va-t'en au diable, je ne m'en soucie pas.

ANGÉLIQUE, *faisant semblant de se frapper.* – Adieu donc !... Ay ! Je suis morte.

LE BARBOUILLÉ. – Serait-elle bien assez sotte pour avoir
395 fait ce coup-là ? Il faut que je descende avec la chandelle pour aller voir.

ANGÉLIQUE. – Il faut que je t'attrape. Si je peux entrer dans la maison subtilement[1], cependant que tu me chercheras, chacun aura bien son tour.

53

400 LE BARBOUILLÉ. – Hé bien ! Ne savais-je pas bien qu'elle n'était pas si sotte ? Elle est morte, et si elle court[2] comme le cheval de Pacolet[3]. Ma foi, elle m'avait fait peur tout de bon. Elle a bien fait de gagner au pied[4] ; car si je l'eusse trouvée en vie, après m'avoir
405 fait cette frayeur-là, je lui aurais apostrophé[5] cinq ou six clystères[6] de coups de pied dans le cul, pour lui apprendre à faire la bête. Je m'en vais me cou-

---

1. *Subtilement* : discrètement.
2. *Et si elle court* : et pourtant elle court.
3. *Pacolet* : personnage d'un roman de chevalerie, *Valentin et Orson* (XVe siècle), qui fabrique un cheval de bois qui se déplace dans les airs plus rapidement que les oiseaux.
4. *Gagner au pied* : s'enfuir.
5. *Apostrophé* : donné.
6. *Clystères* : lavements administrés avec une seringue.

cher cependant. Oh! oh! je pense que le vent a fermé la porte. Hé! Cathau, Cathau, ouvre-moi.

ANGÉLIQUE. – Cathau, Cathau! Hé bien! qu'a-t-elle fait, 410 Cathau? Et d'où venez-vous, Monsieur l'ivrogne? Ah! vraiment, va, mes parents, qui vont venir dans un moment, sauront tes vérités. Sac à vin infâme, tu ne bouges du cabaret, et tu laisses une pauvre femme avec des petits enfants, sans savoir s'ils ont 415 besoin de quelque chose, à croquer le marmot[1] tout le long du jour.

LE BARBOUILLÉ. – Ouvre vite, diablesse que tu es, ou je te casserai la tête.

Scène 12

GORGIBUS, VILLEBREQUIN, ANGÉLIQUE, LE BARBOUILLÉ

GORGIBUS. – Qu'est ceci? Toujours de la dispute, de la 420 querelle et de la dissension[2]!

VILLEBREQUIN. – Hé quoi? vous ne serez jamais d'accord?

ANGÉLIQUE. – Mais voyez un peu, le voilà qui est soûl, et revient, à l'heure qu'il est, faire un vacarme hor- 425 rible; il me menace.

GORGIBUS. – Mais aussi ce n'est pas là l'heure de revenir. Ne devriez-vous pas, comme un bon père de

54

---

1. *Croquer le marmot* : attendre. « On dit proverbialement qu'un homme a été longtemps à croquer le marmot, pour dire qu'on l'a laissé longtemps à attendre [...] » (*Dictionnaire de Furetière*, 1690).
2. *Dissension* : désaccord.

famille, vous retirer de bonne heure, et bien vivre
430 avec votre femme?

LE BARBOUILLÉ. – Je me donne au diable, si j'ai sorti[1]
de la maison, et demandez plutôt à ces Messieurs
qui sont là-bas dans le parterre[2]; c'est elle qui ne
fait que de revenir. Ah! que l'innocence est oppri-
435 mée[3]!

VILLEBREQUIN. – Çà, çà; allons, accordez-vous; deman-
dez-lui pardon.

LE BARBOUILLÉ. – Moi, pardon! j'aimerais mieux que
le diable l'eût emportée. Je suis dans une colère
440 que je ne me sens pas.

GORGIBUS. – Allons, ma fille, embrassez votre mari, et
soyez bons amis.

55

*Scène treizième
et dernière*

LE DOCTEUR, *à la fenêtre, en bonnet de nuit et en camisole,*
LE BARBOUILLÉ, VILLEBREQUIN, GORGIBUS, ANGÉLIQUE

LE DOCTEUR. – Hé quoi? Toujours du bruit, du désordre, de la dissension, des querelles, des débats, des
445 différends, des combustions[4], des altercations éter-
nelles. Qu'est-ce? qu'y a-t-il donc? On ne saurait
avoir du repos.

VILLEBREQUIN. – Ce n'est rien, Monsieur le Docteur:
tout le monde est d'accord.

---

1. *Si j'ai sorti*: si je suis sorti.
2. Le Barbouillé interpelle ici le public.
3. *Opprimée*: malmenée.
4. *Combustions*: voir note 4, p. 44.

LE DOCTEUR. – À propos d'accord, voulez-vous que je 450
vous lise un chapitre d'Aristote, où il prouve que
toutes les parties de l'univers ne subsistent[1] que
par l'accord qui est entre elles?

VILLEBREQUIN. – Cela est-il bien long?

LE DOCTEUR. – Non, cela n'est pas long : cela contient 455
environ soixante ou quatre-vingts pages.

VILLEBREQUIN. – Adieu, bonsoir! Nous vous remer-
cions.

GORGIBUS. – Il n'en est pas de besoin.

LE DOCTEUR. – Vous ne le voulez pas? 460

GORGIBUS. – Non.

LE DOCTEUR. – Adieu donc! puisqu'ainsi est[2]; bonsoir! *latine, bona nox*[3].

VILLEBREQUIN. – Allons-nous-en souper ensemble,
nous autres. 465

56

1. *Ne subsistent* : ne tiennent, n'existent.
2. *Puisqu'ainsi est* : puisqu'il en est ainsi.
3. *Latine, bona nox* : « en latin, bonne nuit ».

Le Médecin volant

ACTEURS [1]

VALÈRE, amant [2] de Lucile.
SABINE, cousine de Lucile.
SGANARELLE, valet de Valère.
GORGIBUS, père de Lucile.
GROS-RENÉ, valet de Gorgibus.
LUCILE, fille de Gorgibus.
UN AVOCAT.

---

1. *Acteurs* : voir note 1, p. 34.
2. *Amant* : voir note 2, p. 34.

Scène première

VALÈRE, SABINE

VALÈRE. – Hé bien ! Sabine, quel conseil me donneras-tu ?

SABINE. – Vraiment, il y a bien des nouvelles. Mon oncle veut résolument[1] que ma cousine épouse
5 Villebrequin, et les affaires sont tellement avancées, que je crois qu'ils eussent été mariés dès aujourd'hui, si vous n'étiez aimé ; mais comme ma cousine m'a confié le secret de l'amour qu'elle vous porte, et que nous nous sommes vues à l'extré-
10 mité[2] par l'avarice de mon vilain oncle, nous nous sommes avisées[3] d'une bonne invention pour différer le mariage. C'est que ma cousine, dès l'heure que je vous parle, contrefait[4] la malade ; et le bon vieillard, qui est assez crédule, m'envoie quérir[5]
15 un médecin. Si vous en pouviez envoyer quelqu'un qui fût de vos bons amis, et qui fût de notre intelligence[6], il conseillerait à la malade de prendre l'air

---

1. *Résolument* : avec détermination.
2. *À l'extrémité* : dans le malheur, dans une situation très difficile.
3. *Nous nous sommes avisées* : nous avons convenu.
4. *Contrefait* : feint, joue.
5. *Quérir* : chercher.
6. *Qui fût de notre intelligence* : qui fût notre complice.

à la campagne. Le bonhomme ne manquera pas de faire loger ma cousine à ce pavillon qui est au bout de notre jardin, et par ce moyen vous pourriez l'entretenir[1] à l'insu de notre vieillard, l'épouser, et le laisser pester tout son soûl[2] avec Villebrequin. [20]

VALÈRE. – Mais le moyen de trouver sitôt[3] un médecin à ma poste[4], et qui voulût tant hasarder[5] pour mon service[6]? Je te le dis franchement, je n'en connais pas un. [25]

SABINE. – Je songe une chose : si vous faisiez habiller votre valet en médecin? Il n'y a rien de si facile à duper[7] que le bonhomme.

VALÈRE. – C'est un lourdaud[8] qui gâtera tout; mais il faut s'en servir faute d'autre. Adieu, je le vais chercher. Où diable trouver ce maroufle[9] à présent? Mais le voici tout à propos. [30]

60

Scène 2

VALÈRE, SGANARELLE

VALÈRE. – Ah! Mon pauvre Sganarelle, que j'ai de joie de te voir! J'ai besoin de toi dans une affaire de [35]

---

1. *L'entretenir* : lui parler.
2. *Tout son soûl* : autant qu'il le veut.
3. *Sitôt* : « promptement, vite, dans peu de temps » (*Dictionnaire de l'Académie*, 1694).
4. *À ma poste* : à ma disposition.
5. *Hasarder* : prendre des risques.
6. *Pour mon service* : pour moi, pour me servir.
7. *Duper* : tromper.
8. *Lourdaud* : voir note 2, p. 36.
9. *Maroufle* : voir note 3, p. 50.

conséquence[1] ; mais, comme je ne sais pas ce que tu sais faire...

SGANARELLE. – Ce que je sais faire, Monsieur ? Employez-moi seulement en vos affaires de conséquence, en quelque chose d'importance par exemple, envoyez-moi voir quelle heure il est à une horloge, voir combien le beurre vaut au marché, abreuver un cheval ; c'est alors que vous connaîtrez ce que je sais faire.

40

VALÈRE. – Ce n'est pas cela : c'est qu'il faut que tu contrefasses le médecin.

45

SGANARELLE. – Moi, médecin, Monsieur ! Je suis prêt à faire tout ce qu'il vous plaira ; mais pour faire le médecin, je suis assez votre serviteur pour n'en rien faire du tout ; et par quel bout m'y prendre, bon dieu ? Ma foi ! Monsieur, vous vous moquez de moi.

50

VALÈRE. – Si tu veux entreprendre cela, va, je te donnerai dix pistoles[2].

61

SGANARELLE. – Ah ! pour dix pistoles, je ne dis pas que je ne sois médecin ; car, voyez-vous bien, Monsieur ? je n'ai pas l'esprit tant, tant subtil, pour vous dire la vérité ; mais, quand je serai médecin, où irai-je ?

55

VALÈRE. – Chez le bonhomme Gorgibus, voir sa fille, qui est malade ; mais tu es un lourdaud qui, au lieu de bien faire, pourrais bien...

60

SGANARELLE. – Hé ! mon Dieu, Monsieur, ne soyez point en peine ; je vous réponds que je ferai aussi bien mourir une personne qu'aucun médecin qui soit dans la ville. On dit un proverbe, d'ordinaire : après la mort le médecin ; mais vous verrez que si je m'en mêle, on dira : après le médecin, gare la

65

---

1. *Affaire de conséquence* : affaire importante.
2. *Dix pistoles* : voir note 2, p. 40.

mort[1] ! Mais néanmoins, quand je songe, cela est bien difficile de faire le médecin ; et si je ne fais rien qui vaille… ?

VALÈRE. – Il n'y a rien de si facile en cette rencontre : Gorgibus est un homme simple, grossier[2], qui se laissera étourdir de ton discours, pourvu que tu parles d'Hippocrate[3] et de Galien[4], et que tu sois un peu effronté[5].

SGANARELLE. – C'est-à-dire qu'il lui faudra parler philosophie, mathématique. Laissez-moi faire ; s'il est un homme facile, comme vous le dites, je vous réponds de tout ; venez seulement me faire avoir un habit de médecin, et m'instruire de ce qu'il faut faire, et me donner mes licences[6], qui sont les dix pistoles promises.

62

---

1. *Gare la mort !* : attention à la mort !

2. *Grossier* : lourdaud (voir note 2, p. 36).

3. *Hippocrate* : médecin grec (v. 460-v. 377 av. J.-C.) qui s'est intéressé aux humeurs et à leurs effets sur l'organisme. Il est à l'origine du serment que les médecins prononcent encore aujourd'hui avant d'exercer.

4. *Galien* : médecin grec (v. 131-v. 201) à l'origine de nombreuses découvertes en anatomie. Son œuvre a joui d'un grand prestige jusqu'à la fin du XVIᵉ siècle.

5. *Effronté* : hardi, audacieux.

6. *Mes licences* : « on appelle *licence*, dans les facultés de théologie, de droit et de médecine, le second degré qui donne permission de lire et d'enseigner publiquement en vertu des lettres que l'on en obtient, et que l'on appelle *lettres de licence* » (*Dictionnaire de l'Académie*, 1694).

Scène 3

GORGIBUS, GROS-RENÉ

GORGIBUS. – Allez vitement[1] chercher un médecin ; car ma fille est bien malade, et dépêchez-vous.

GROS-RENÉ. – Que diable aussi ! pourquoi vouloir don-
85   ner votre fille à un vieillard ? Croyez-vous que ce ne soit pas le désir qu'elle a d'avoir un jeune homme qui la travaille ? Voyez-vous la connexité[2] qu'il y a, etc. *(Galimatias)*[3].

GORGIBUS. – Va-t'en vite : je vois bien que cette mala-
90   die-là reculera bien les noces.

GROS-RENÉ. – Et c'est ce qui me fait enrager : je croyais refaire mon ventre d'une bonne carrelure[4], et m'en voilà sevré[5]. Je m'en vais chercher un médecin pour moi aussi bien que pour votre fille ; je suis désespéré.

63

Scène 4

SABINE, GORGIBUS, SGANARELLE

95 SABINE. – Je vous trouve à propos[6], mon oncle, pour vous apprendre une bonne nouvelle. Je vous amène

---

1. *Vitement* : promptement.
2. *Connexité* : relation.
3. *Galimatias* : « discours embrouillé et confus qui semble dire quelque chose et ne dit rien » (*Dictionnaire de l'Académie*, 1694) ; voir aussi présentation, p. 18.
4. *Une bonne carrelure* : un bon repas.
5. *M'en voilà sevré* : m'en voilà privé.
6. *À propos* : au bon endroit, au bon moment.

le plus habile médecin du monde, un homme qui vient des pays étrangers, qui sait les plus beaux secrets, et qui sans doute guérira ma cousine. On me l'a indiqué [1] par bonheur, et je vous l'amène. 100 Il est si savant que je voudrais de bon cœur être malade, afin qu'il me guérît.

GORGIBUS. – Où est-il donc?

SABINE. – Le voilà qui me suit; tenez, le voilà.

GORGIBUS. – Très humble serviteur à Monsieur le méde- 105 cin! Je vous envoie quérir pour voir ma fille, qui est malade; je mets toute mon espérance en vous.

SGANARELLE. – Hippocrate dit, et Galien par vives rai- sons [2] persuade qu'une personne ne se porte pas bien quand elle est malade. Vous avez raison de 110 mettre votre espérance en moi; car je suis le plus grand, le plus habile, le plus docte [3] médecin qui soit dans la faculté végétale, sensitive et minérale [4].

GORGIBUS. – J'en suis fort ravi.

SGANARELLE. – Ne vous imaginez pas que je sois un 115 médecin ordinaire, un médecin du commun. Tous les autres médecins ne sont, à mon égard, que des avortons de médecine [5]. J'ai des talents particuliers, j'ai des secrets. *Salamalec, salamalec* [6]. « Rodrigue, as-tu du cœur [7]? » *Signor, si; signor, non.* 120

---

1. *Indiqué* : conseillé.

2. *Par vives raisons* : à l'aide d'arguments convaincants.

3. *Docte* : savant.

4. *Faculté végétale, sensitive et minérale* : remèdes tirés des végé- taux, des animaux et des minéraux.

5. *Avortons de médecine* : petits médecins.

6. *Salamalec* : « Que la paix soit avec vous », en arabe (formule de salutation).

7. « *Rodrigue, as-tu du cœur ?* » : célèbre réplique tirée de la tragi- comédie du *Cid* (1637), de Pierre Corneille.

Per omnia saecula saeculorum[1]. Mais encore voyons un peu.

SABINE. – Hé ! Ce n'est pas lui qui est malade, c'est sa fille.

125 SGANARELLE. – Il n'importe : le sang du père et de la fille ne sont qu'une même chose ; et par l'altération[2] de celui du père, je puis connaître la maladie de la fille. Monsieur Gorgibus, y aurait-il moyen de voir de l'urine de l'égrotante[3] ?

130 GORGIBUS. – Oui-da[4] ; Sabine, vite allez quérir de l'urine de ma fille. Monsieur le médecin, j'ai grand'peur qu'elle ne meure.

SGANARELLE. – Ah ! qu'elle s'en garde bien ! Il ne faut pas qu'elle s'amuse à se laisser mourir sans l'or-
135 donnance du médecin. Voilà de l'urine qui marque grande chaleur, grande inflammation dans les intestins : elle n'est pas tant mauvaise pourtant.

GORGIBUS. – Hé quoi ? Monsieur, vous l'avalez ?

SGANARELLE. – Ne vous étonnez pas de cela ; les méde-
140 cins, d'ordinaire, se contentent de la regarder ; mais moi, qui suis un médecin hors du commun, je l'avale, parce qu'avec le goût je discerne bien mieux la cause et les suites de la maladie[5]. Mais, à

65

---

1. *Signor, sì ; signor, non. Per omnia saecula saeculorum* : « Oui monsieur, non monsieur, pour tous les siècles des siècles. » Le comique provient ici du mélange de deux langues, l'italien et le latin, et de deux discours, le profane et le religieux.
2. *Altération* : dégradation.
3. *L'égrotante* : celle qui souffre.
4. *Oui-da* : voir note 1, p. 45.
5. *Suites de la maladie* : conséquences, manifestations de la maladie. Les traités de médecine recommandaient aux médecins de recueillir l'urine du malade dans un verre et de l'étudier à l'abri des rayons du soleil. Que Sganarelle la goûte est caractéristique de l'univers de la farce. On retrouve des scènes .../ ...

vous dire la vérité, il y en avait trop peu pour asseoir un bon jugement[1] : qu'on la fasse encore pisser. 145

SABINE. – J'ai bien eu de la peine à la faire pisser.

SGANARELLE. – Que cela[2] ? Voilà bien de quoi ! Faites-la pisser copieusement, copieusement. Si tous les malades pissent de la sorte, je veux être médecin toute ma vie. 150

SABINE. – Voilà tout ce qu'on peut avoir : elle ne peut pas pisser davantage.

SGANARELLE. – Quoi ? Monsieur Gorgibus, votre fille ne pisse que des gouttes ? Voilà une pauvre pisseuse que votre fille ; je vois bien qu'il faudra que je lui 155 ordonne une potion pissative[3]. N'y aurait-il pas moyen de voir la malade ?

SABINE. – Elle est levée ; si vous voulez, je la ferai venir.

66

Scène 5

LUCILE, SABINE, GORGIBUS, SGANARELLE

SGANARELLE. – Hé bien ! Mademoiselle, vous êtes 160 malade ?

LUCILE. – Oui, Monsieur.

SGANARELLE. – Tant pis ! c'est une marque que vous ne vous portez pas bien. Sentez-vous de grandes douleurs à la tête, aux reins ? 165

…/ … similaires dans des canevas de pièces issues de la tradition de la *commedia dell'arte*.
1. *Asseoir un bon jugement* : établir un bon diagnostic.
2. *Que cela ?* : qu'est-ce que cela ?
3. *Pissative* : qui fait uriner.

LUCILE. – Oui, Monsieur.

SGANARELLE. – C'est fort bien fait. Oui, ce grand médecin, au chapitre qu'il a fait de la nature des animaux, dit... cent belles choses; et comme les
170 humeurs [1] qui ont de la connexité ont beaucoup de rapport; car, par exemple, comme la mélancolie [2] est ennemie de la joie, et que la bile qui se répand par le corps nous fait devenir jaunes [3], et qu'il n'est rien plus contraire à la santé que la maladie, nous
175 pouvons dire, avec ce grand homme, que votre fille est fort malade. Il faut que je vous fasse une ordonnance.

GORGIBUS. – Vite une table, du papier, de l'encre.

SGANARELLE. – Y a-t-il ici quelqu'un qui sache écrire?

180 GORGIBUS. – Est-ce que vous ne le savez point?

SGANARELLE. – Ah! Je ne m'en souvenais pas; j'ai tant d'affaires dans la tête, que j'oublie la moitié... – Je crois qu'il serait nécessaire que votre fille prît un peu l'air, qu'elle se divertît à la campagne.

185 GORGIBUS. – Nous avons un fort beau jardin, et quelques chambres qui y répondent [4]; si vous le trouvez à propos, je l'y ferai loger.

SGANARELLE. – Allons, allons visiter les lieux.

67

---

1. Allusion à la théorie médicale admise à l'époque selon laquelle le corps est irrigué par les humeurs, des liquides, au nombre de quatre : le sang, le flegme, la bile jaune et la bile noire. On pensait que les maladies venaient de leur déséquilibre, c'est-à-dire de la prédominance trop marquée de l'une d'elles.
2. La mélancolie est l'une des quatre humeurs décrites dans les traités de médecine. Selon la théorie des humeurs, elle serait liée à un excès de bile noire et serait à l'origine de la tristesse.
3. Selon la théorie des humeurs, la bile jaune serait à l'origine de la colère.
4. *Qui y répondent* : qui donnent sur le jardin.

Scène 6

L'AVOCAT

J'ai ouï dire [1] que la fille de Monsieur Gorgibus était malade : il faut que je m'informe de sa santé, 190 et que je lui offre mes services comme ami de toute sa famille. Holà ! holà ! Monsieur Gorgibus y est-il ?

Scène 7

GORGIBUS, L'AVOCAT

GORGIBUS. – Monsieur, votre très humble, etc. [2].

L'AVOCAT. – Ayant appris la maladie de Mademoiselle votre fille, je vous suis venu témoigner la part 195 que j'y prends, et vous faire offre de [3] tout ce qui dépend de moi.

GORGIBUS. – J'étais là-dedans avec le plus savant homme.

L'AVOCAT. – N'y aurait-il pas moyen de l'entretenir [4] 200 un moment ?

68

---

1. *J'ai ouï dire* : j'ai entendu dire.
2. Voir note 1, p. 18.
3. *Vous faire offre de* : vous offrir.
4. *L'entretenir* : lui parler.

Scène 8

GORGIBUS, L'AVOCAT, SGANARELLE

GORGIBUS. – Monsieur, voilà un fort habile homme
de mes amis qui souhaiterait de vous parler et vous
entretenir.

205 SGANARELLE. – Je n'ai pas le loisir[1], Monsieur Gorgibus : il faut aller à mes malades. Je ne prendrai pas
la droite avec vous[2], Monsieur.

L'AVOCAT. – Monsieur, après ce que m'a dit Monsieur
Gorgibus de votre mérite et de votre savoir, j'ai eu
210 la plus grande passion du monde d'avoir l'honneur de votre connaissance[3], et j'ai pris la liberté
de vous saluer à ce dessein : je crois que vous ne
le trouverez pas mauvais. Il faut avouer que tous
ceux qui excellent en quelque science sont dignes
215 de grande louange, et particulièrement ceux qui
font profession de la médecine, tant à cause de son
utilité, que parce qu'elle contient en elle plusieurs
autres sciences, ce qui rend sa parfaite connaissance fort difficile ; et c'est fort à propos qu'Hippo-
220 crate dit dans son premier aphorisme[4] : *Vita brevis,
ars vero longa, occasio autem praeceps, experimentum
periculosum, judicium difficile*[5].

69

---

1. *Je n'ai pas le loisir* : je n'ai pas le temps.
2. *Je ne prendrai pas la droite avec vous* : je ne vous suivrai pas.
3. *L'honneur de votre connaissance* : l'honneur de faire votre
connaissance.
4. *Aphorisme* : formule concise résumant une théorie, une suite
d'observations ou renfermant un précepte.
5. *Vita brevis, ars vero longa, occasio autem praeceps, experimentum periculosum, judicium difficile* : « La vie est courte, l'art est long …/ …

SGANARELLE, *à Gorgibus*. – *Ficile tantina pota baril cambustibus* [1].

L'AVOCAT. – Vous n'êtes pas de ces médecins qui ne [225] vous appliquez [2] qu'à la médecine qu'on appelle rationale ou dogmatique, et je crois que vous l'exercez tous les jours avec beaucoup de succès : *experientia magistra rerum* [3]. Les premiers hommes qui firent profession de la médecine furent tel- [230] lement estimés d'avoir cette belle science, qu'on les mit au nombre des dieux pour les belles cures qu'ils faisaient tous les jours. Ce n'est pas qu'on doive mépriser un médecin qui n'aurait pas rendu la santé à son malade, parce qu'elle ne dépend pas [235] absolument de ses remèdes, ni de son savoir :

Interdum docta plus valet arte malum [4].

Monsieur, j'ai peur de vous être importun [5] : je prends congé de vous, dans l'espérance que j'ai qu'à la première vue [6] j'aurai l'honneur de conver- [240] ser avec vous avec plus de loisir. Vos heures vous sont précieuses, etc. *(Il sort.)*

70

…/ … à acquérir, l'occasion fugitive, l'expérience périlleuse, le jugement difficile », Hippocrate, *Aphorismes*, I.

1. *Ficile tantina pota baril cambustibus* : latin imaginaire.

2. *Qui ne vous appliquez* : qui ne vous intéressez.

3. La médecine rationnelle et dogmatique est celle qui est enseignée à la faculté. L'avocat félicite Sganarelle de pratiquer une médecine empirique, c'est-à-dire une médecine qui s'appuie sur l'expérience. D'où la citation empruntée à Érasme (1469-1536) : « *experientia magistra rerum* », « l'expérience est maîtresse des choses ».

4. *Interdum docta plus valet arte malum* : « Parfois le mal est plus fort que l'art docte », Ovide, *Les Pontiques*, livre I, chant III, v. 18.

5. *Importun* : voir note 10, p. 45.

6. *À la première vue* : la prochaine fois que je vous verrai.

GORGIBUS. – Que vous semble de [1] cet homme-là ?

SGANARELLE. – Il sait quelque petite chose. S'il fût
245   demeuré tant soit peu davantage, je l'allais mettre
sur une matière sublime et relevée [2]. Cependant,
je prends congé de vous. *(Gorgibus lui donne de l'argent.)*
Hé ! Que voulez-vous faire ?

GORGIBUS. – Je sais bien ce que je vous dois.

250   SGANARELLE. – Vous vous moquez, Monsieur Gorgibus.
Je n'en prendrai pas [3], je ne suis pas un homme
mercenaire [4]. *(Il prend l'argent.)* Votre très humble
serviteur. *(Sganarelle sort et Gorgibus rentre dans sa maison.)*

Scène 9

VALÈRE

Je ne sais ce qu'aura fait Sganarelle : je n'ai point
255   eu de ses nouvelles, et je suis fort en peine [5] où je le
pourrais rencontrer. *(Sganarelle revient en habit de valet.)*
Mais bon, le voici. Hé bien ! Sganarelle, qu'as-tu
fait depuis que je ne t'ai point vu ?

---

1. *Que vous semble de* : que vous inspire.
2. *Je l'allais mettre sur une matière sublime et relevée* : j'allais le ques-
tionner, débattre avec lui sur un sujet difficile.
3. Sganarelle fait mine de refuser l'argent. Une scène simi-
laire figure dans *Le Médecin malgré lui* : GÉRONTE. – Attendez
un peu, s'il vous plaît./ SGANARELLE. – Que voulez-vous
faire ?/ GÉRONTE. – Vous donner de l'argent, Monsieur./
SGANARELLE, *tendant sa main derrière, par-dessous sa robe, tandis
que Géronte ouvre sa bourse.* – Je n'en prendrai pas, Monsieur »
(acte II, scène 4).
4. *Mercenaire* : voir note 1, p. 40.
5. *Je suis fort en peine* : je ne sais pas.

Scène 10

SGANARELLE, VALÈRE

SGANARELLE. – Merveille sur merveille : j'ai si bien fait
que Gorgibus me prend pour un habile médecin. 260
Je me suis introduit chez lui, et lui ai conseillé de
faire prendre l'air à sa fille, laquelle est à présent
dans un appartement qui est au bout de leur jardin, tellement qu'elle est fort éloignée du vieillard,
et que vous pouvez l'aller voir commodément[1]. 265

VALÈRE. – Ah ! que tu me donnes de joie ! Sans perdre
de temps, je la vais trouver de ce pas.

SGANARELLE. – Il faut avouer que ce bonhomme Gorgibus est un vrai lourdaud de se laisser tromper
de la sorte. *(Apercevant Gorgibus.)* Ah ! Ma foi, tout est 270
perdu : c'est à ce coup que[2] voilà la médecine ren-
versée, mais il faut que je le trompe.

Scène 11

SGANARELLE, GORGIBUS

GORGIBUS. – Bonjour, Monsieur.

SGANARELLE. – Monsieur, votre serviteur. Vous voyez
un pauvre garçon au désespoir ; ne connaissez-vous 275
pas un médecin qui est arrivé depuis peu en cette
ville, qui fait des cures[3] admirables ?

---

1. *Commodément* : à votre aise, facilement.
2. *C'est à ce coup que* : c'est ainsi que.
3. *Qui fait des cures* : qui donne des soins.

GORGIBUS. – Oui, je le connais : il vient de sortir de chez moi.

280 SGANARELLE. – Je suis son frère, Monsieur ; nous sommes gémeaux[1] ; et, comme nous nous ressemblons fort, on nous prend quelquefois l'un pour l'autre.

GORGIBUS. – Je me dédonne au diable[2] si je n'y ai été trompé. Et comme[3] vous nommez-vous ?

285 SGANARELLE. – Narcisse, Monsieur, pour vous rendre service. Il faut que vous sachiez qu'étant[4] dans son cabinet[5], j'ai répandu deux fioles[6] d'essence qui étaient sur le bout de sa table ; aussitôt il s'est mis dans une colère si étrange contre moi, qu'il m'a 290 mis hors du logis, et ne me veut plus jamais voir, tellement que je suis un pauvre garçon à présent sans appui, sans support[7], sans aucune connaissance[8].

GORGIBUS. – Allez, je ferai votre paix : je suis de ses amis, et je vous promets de vous remettre avec lui. 295 Je lui parlerai d'abord que[9] je le verrai.

SGANARELLE. – Je vous serai bien obligé[10], Monsieur Gorgibus. *(Sganarelle sort et rentre aussitôt avec sa robe de médecin.)*

73

---

1. *Gémeaux* : jumeaux.

2. *Je me dédonne au diable* : je me donne au diable (juron populaire).

3. *Comme* : comment.

4. *Étant* : alors que j'étais.

5. *Cabinet* : lieu de travail.

6. *Fioles* : petites bouteilles de verre à col étroit utilisées spécialement en pharmacie.

7. *Sans appui, sans support* : sans secours, sans soutien.

8. *Sans aucune connaissance* : sans relation.

9. *D'abord que* : dès que.

10. *Je vous serai bien obligé* : je vous en serai très reconnaissant.

Scène 12

SGANARELLE, GORGIBUS

SGANARELLE. – Il faut avouer que quand les malades ne veulent pas suivre l'avis du médecin, et qu'ils s'abandonnent à la débauche [1] que… 300

GORGIBUS. – Monsieur le Médecin, votre très humble serviteur. Je vous demande une grâce [2].

SGANARELLE. – Qu'y a-t-il, Monsieur ? est-il question de vous rendre service ? 305

GORGIBUS. – Monsieur, je viens de rencontrer Monsieur votre frère, qui est tout à fait fâché de…

SGANARELLE. – C'est un coquin, Monsieur Gorgibus.

GORGIBUS. – Je vous réponds qu'il est tellement contrit [3] de vous avoir mis en colère… 310

SGANARELLE. – C'est un ivrogne, Monsieur Gorgibus.

GORGIBUS. – Hé ! Monsieur, vous voulez désespérer ce pauvre garçon ?

SGANARELLE. – Qu'on ne m'en parle plus ; mais voyez l'impudence [4] de ce coquin-là, de vous aller trouver 315 pour faire son accord ; je vous prie de ne m'en pas parler.

GORGIBUS. – Au nom de Dieu, Monsieur le Médecin ! et faites cela pour l'amour de moi [5]. Si je suis capable de vous obliger [6] en autre chose, je le ferai de 320 bon cœur. Je m'y suis engagé, et…

74

---

1. *À la débauche* : à une vie dissolue.
2. *Grâce* : faveur.
3. *Contrit* : ennuyé.
4. *Impudence* : effronterie.
5. *Pour l'amour de moi* : pour moi.
6. *Obliger* : rendre service.

SGANARELLE. – Vous m'en priez avec tant d'insistance que, quoique j'eusse fait serment de ne lui pardonner jamais, allez, touchez là [1] : je lui pardonne. Je vous assure que je me fais grande violence, et qu'il faut que j'aie bien de la complaisance [2] pour vous. Adieu, Monsieur Gorgibus.

GORGIBUS. – Monsieur, votre très humble serviteur ; je m'en vais chercher ce pauvre garçon pour lui apprendre cette bonne nouvelle.

Scène 13

VALÈRE, SGANARELLE

VALÈRE. – Il faut que j'avoue que je n'eusse jamais cru que Sganarelle se fût si bien acquitté de son devoir [3]. *(Sganarelle rentre avec ses habits de valet.)* Ah ! Mon pauvre garçon, que je t'ai d'obligation [4] ! que j'ai de joie ! et que...

SGANARELLE. – Ma foi, vous parlez fort à votre aise [5]. Gorgibus m'a rencontré ; et sans une invention que j'ai trouvée, toute la mèche était découverte. Mais fuyez-vous-en, le voici.

75

---

1. *Touchez là* : donnez-moi la main ; geste par lequel on signifie son accord.
2. *Complaisance* : affection.
3. *Je n'eusse jamais cru que Sganarelle se fût si bien acquitté de son devoir* : je n'aurais jamais cru que Sganarelle réussirait si bien.
4. *Que je t'ai d'obligation !* : je te dois beaucoup !
5. *Vous parlez fort à votre aise* : vous parlez pour vous.

Scène 14

GORGIBUS, SGANARELLE

GORGIBUS. – Je vous cherchais partout pour vous dire 340
que j'ai parlé à votre frère : il m'a assuré qu'il vous
pardonnait ; mais, pour en être plus assuré, je veux
qu'il vous embrasse en ma présence ; entrez dans
mon logis, et je l'irai chercher.

SGANARELLE. – Ah ! Monsieur Gorgibus, je ne crois pas 345
que vous le trouviez à présent ; et puis je ne resterai
pas chez vous : je crains trop sa colère.

GORGIBUS. – Ah ! vous demeurerez [1], car je vous enfer-
merai. Je m'en vais à présent chercher votre frère :
ne craignez rien, je vous réponds [2] qu'il n'est plus 350
fâché. *(Il sort.)*

SGANARELLE, *de la fenêtre.* – Ma foi, me voilà attrapé ce
coup-là ; il n'y a plus moyen de m'en échapper. Le
nuage est fort épais, et j'ai bien peur que, s'il vient
à crever, il ne grêle sur mon dos force coups de 355
bâton, ou que, par quelque ordonnance plus forte
que toutes celles des médecins, on m'applique tout
au moins un cautère [3] royal sur les épaules. Mes
affaires vont mal ; mais pourquoi se désespérer ?
Puisque j'ai tant fait, poussons la fourbe [4] jusques 360
au bout. Oui, oui, il en faut encore sortir, et faire
voir que Sganarelle est le roi des fourbes. *(Il saute de
la fenêtre et s'en va.)*

---

1. *Vous demeurerez* : vous resterez.
2. *Je vous réponds* : je vous assure.
3. *Cautère* : fer rougi qu'utilisent les médecins pour refermer
une plaie. Sganarelle redoute d'être marqué d'une fleur de lys
– emblème de la royauté –, comme l'étaient certains condamnés.
4. *Fourbe* : fourberie. Sganarelle se définit ensuite comme le roi
des fourbes, c'est-à-dire le roi des trompeurs.

76

Scène 15

Gros-René, Gorgibus, Sganarelle

Gros-René. – Ah ! ma foi, voilà qui est drôle ! Comme
365 diable on saute ici par les fenêtres ! Il faut que je
demeure ici, et que je voie à quoi tout cela abou-
tira.

Gorgibus. – Je ne saurais [1] trouver ce médecin ; je ne
sais où diable il s'est caché. *(Apercevant Sganarelle qui*
370 *revient en habit de médecin.)* Mais le voici. Monsieur, ce
n'est pas assez d'avoir pardonné à votre frère ; je
vous prie, pour ma satisfaction, de l'embrasser : il
est chez moi, et je vous cherchais partout pour vous
prier de faire cet accord en ma présence.

375 Sganarelle. – Vous vous moquez, Monsieur Gorgibus : n'est-ce pas assez que je lui pardonne ? Je ne
le veux jamais voir.

Gorgibus. – Mais, Monsieur, pour l'amour de moi.

Sganarelle. – Je ne vous saurais rien refuser : dites-lui
380 qu'il descende. *(Pendant que Gorgibus rentre dans sa maison*
par la porte, Sganarelle y rentre par la fenêtre.)

Gorgibus, *à la fenêtre.* – Voilà votre frère qui vous attend
là-bas : il m'a promis qu'il fera tout ce que je vou-
drai.

385 Sganarelle, *à la fenêtre.* – Monsieur Gorgibus, je vous
prie de le faire venir ici : je vous conjure [2] que ce
soit en particulier que je lui demande pardon,
parce que sans doute [3] il me ferait cent hontes et

---

1. *Je ne saurais* : je ne parviens pas à.
2. *Je vous conjure* : je vous supplie.
3. *Sans doute* : certainement.

cent opprobres[1] devant tout le monde. *(Gorgibus sort de sa maison par la porte, et Sganarelle par la fenêtre.)* 390

GORGIBUS. – Oui-da[2], je m'en vais lui dire. Monsieur, il dit qu'il est honteux, et qu'il vous prie d'entrer, afin qu'il vous demande pardon en particulier. Voilà la clef, vous pouvez entrer ; je vous supplie de ne me pas refuser et de me donner ce contentement[3]. 395

SGANARELLE. – Il n'y a rien que je ne fasse pour votre satisfaction : vous allez entendre de quelle manière je le vais traiter. *(À la fenêtre.)* Ah ! Te voilà, coquin. – Monsieur mon frère, je vous demande pardon, je vous promets qu'il n'y a point de ma 400 faute[4]. – Il n'y a point de ta faute, pilier de débauche, coquin ? Va, je t'apprendrai à vivre. Avoir la hardiesse[5] d'importuner Monsieur Gorgibus, de lui rompre la tête[6] de tes sottises ! – Monsieur mon frère... – Tais-toi, te dis-je. – Je ne vous déso- 405 blig... – Tais-toi, coquin.

GROS-RENÉ. – Qui diable pensez-vous qui soit chez vous à présent ?

GORGIBUS. – C'est le médecin et Narcisse son frère ; ils avaient quelque différend, et ils font leur accord[7]. 410

GROS-RENÉ. – Le diable emporte[8] ! Ils ne sont qu'un.

SGANARELLE, *à la fenêtre.* – Ivrogne que tu es, je t'apprendrai à vivre. Comme il baisse la vue[9] ! il voit

78

---

1. *Opprobres* : réprimandes.
2. *Oui-da* : voir note 1, p. 45.
3. *Contentement* : satisfaction.
4. *Il n'y a point de ma faute* : ce n'est pas ma faute.
5. *Hardiesse* : audace.
6. *Rompre la tête* : importuner.
7. *Ils font leur accord* : ils se réconcilient.
8. *Le diable emporte !* : que le diable m'emporte !
9. *Comme il baisse la vue !* : comme il baisse les yeux !

bien qu'il a failli [1], le pendard [2]. Ah! l'hypocrite [3],
415 comme il fait le bon apôtre!

GROS-RENÉ. – Monsieur, dites-lui un peu par plaisir
qu'il fasse mettre son frère à la fenêtre.

GORGIBUS. – Oui-da, Monsieur le Médecin, je vous
prie de faire paraître votre frère à la fenêtre.

420 SGANARELLE, *de la fenêtre.* – Il est indigne de la vue des
gens d'honneur, et puis je ne le saurais souffrir [4]
auprès de moi.

GORGIBUS. – Monsieur, ne me refusez pas cette grâce,
après toutes celles que vous m'avez faites.

425 SGANARELLE, *de la fenêtre.* – En vérité, Monsieur Gorgibus,
vous avez un tel pouvoir sur moi que je ne vous puis
rien refuser. Montre, montre-toi, coquin. *(Après avoir
disparu un moment, il se remontre en habit de valet.)* – Monsieur
Gorgibus, je suis votre obligé. *(Il disparaît encore, et
430 reparaît aussitôt en robe de médecin.)* – Hé bien! avez-vous
vu cette image de la débauche?

GROS-RENÉ. – Ma foi, ils ne sont qu'un, et, pour vous
le prouver, dites-lui un peu que vous les voulez voir
ensemble.

435 GORGIBUS. – Mais faites-moi la grâce de le faire
paraître avec vous, et de l'embrasser [5] devant
moi à la fenêtre.

SGANARELLE, *de la fenêtre.* – C'est une chose que je refuse-
rais à tout autre qu'à vous; mais pour vous montrer
440 que je veux tout faire pour l'amour de vous [6], je m'y

---

1. *Il a failli* : il a commis une faute.
2. *Pendard* : vaurien.
3. *Hypocrite* : canaille.
4. *Souffrir* : voir note 4, p. 41.
5. *L'embrasser* : le serrer dans vos bras.
6. *Pour l'amour de vous* : pour vous.

résous[1], quoique avec peine, et veux auparavant qu'il vous demande pardon de toutes les peines qu'il vous a données. – Oui, Monsieur Gorgibus, je vous demande pardon de vous avoir tant importuné, et vous promets, mon frère, en présence de 445 Monsieur Gorgibus que voilà, de faire si bien désormais, que vous n'aurez plus lieu de vous plaindre, vous priant de ne plus songer à ce qui s'est passé. *(Il embrasse son chapeau et sa fraise qu'il a mis au bout de son coude.)* 450

GORGIBUS. – Hé bien! ne les voilà pas tous deux?

GROS-RENÉ. – Ah! par ma foi, il est sorcier.

SGANARELLE, *sortant de la maison, en médecin.* – Monsieur, voilà la clef de votre maison que je vous rends; je n'ai pas voulu que ce coquin soit descendu avec 455 moi, parce qu'il me fait honte : je ne voudrais pas qu'on le vît en ma compagnie dans la ville, où je suis en quelque réputation. Vous irez le faire sortir quand bon vous semblera. Je vous donne le bonjour, et suis votre, etc. *(Il feint de s'en aller, et, après avoir mis 460 bas sa robe, rentre dans la maison par la fenêtre.)*

GORGIBUS. – Il faut que j'aille délivrer ce pauvre garçon; en vérité, s'il lui a pardonné, ce n'a pas été[2] sans le bien maltraiter. *(Il entre dans sa maison, et en sort avec Sganarelle, en habit de valet.)* 465

SGANARELLE. – Monsieur, je vous remercie de la peine que vous avez prise et de la bonté que vous avez eue : je vous en serai obligé[3] toute ma vie.

GROS-RENÉ. – Où pensez-vous que soit à présent le médecin? 470

---

1. *Je m'y résous* : j'y consens.
2. *Ce n'a pas été* : cela n'a pas été.
3. *Obligé* : reconnaissant.

GORGIBUS. – Il s'en est allé.

GROS-RENÉ, *qui a ramassé la robe de Sganarelle.* – Je le tiens sous mon bras. Voilà le coquin qui faisait le médecin, et qui vous trompe. Cependant[1] qu'il vous trompe
475 et joue la farce chez vous, Valère et votre fille sont ensemble, qui s'en vont à tous les diables.

GORGIBUS. – Ah! que je suis malheureux! Mais tu seras pendu, fourbe, coquin.

SGANARELLE. – Monsieur, qu'allez-vous faire de me
480 pendre? Écoutez un mot, s'il vous plaît : il est vrai que c'est par mon invention que mon maître est avec votre fille ; mais en le servant, je ne vous ai point désobligé[2] : c'est un parti sortable[3] pour elle, tant pour la naissance que pour les biens. Croyez-moi, ne
485 faites point un vacarme qui tournerait à votre confusion[4], et envoyez à tous les diables ce coquin-là, avec Villebrequin. Mais voici nos amants.

81

Scène dernière

VALÈRE, LUCILE, GORGIBUS, SGANARELLE

VALÈRE. – Nous nous jetons à vos pieds[5].

GORGIBUS. Je vous pardonne, et suis heureusement
490 trompé par Sganarelle, ayant un si brave gendre. Allons tous faire noces, et boire à la santé de toute la compagnie.

---

1. *Cependant* : pendant.
2. *Désobligé* : desservi.
3. *Un parti sortable* : un bon parti.
4. *À votre confusion* : à vos dépens.
5. *Nous nous jetons à vos pieds* : nous vous demandons pardon.

Dossier

Aux sources du « génie comique » de Molière

De l'ombre à la lumière...

Pour répondre aux questions suivantes, appuyez-vous sur la présentation et sur la chronologie, p. 7 à 31.

1 Où Louis Cressé mène-t-il régulièrement le jeune Jean-Baptiste Poquelin ? Quel milieu lui fait-il découvrir ?

2 À quelle profession son père le destine-t-il ? Dans quel établissement le jeune Jean-Baptiste Poquelin fait-il ses études ? Par qui cet établissement est-il tenu ?

3 Quelles études Jean-Baptiste Poquelin poursuit-il à Orléans ? À quelle carrière le destinent-elles ? Quelle voie choisit-il finalement ? De retour dans la capitale, quelles rencontres décisives fait-il ?

4 Comment se nomme la troupe que fonde Molière ? Avec qui la crée-t-il ? Quel type de pièces joue-t-elle ? Pourquoi les débuts de la troupe sont-ils particulièrement difficiles ?

5 Quel type de pièces Molière et sa troupe jouent-ils en province ? pour quel public ?

6 Quelles sont les deux premières pièces connues de Molière ? De quel type de pièces s'agit-il ? Où et quand ont-elles été jouées pour la première fois ?

7 Quelles sont les trois grandes troupes qui se produisent dans la capitale quand Molière et sa troupe y reviennent ? Où jouent-elles ? Quels types de spectacles donnent-elles ?

8 Quelle est la première pièce que Molière et sa troupe représentent sans succès devant Louis XIV ? À quelle genre appartient-elle ? Pourquoi est-ce un échec ?

9 Avec quelle pièce Molière connaît-il le succès ? De quel type de pièce s'agit-il ? Pourquoi est-ce un succès ?

10 Avec qui Molière est-il contraint de partager la salle du Petit-Bourbon ? Quel personnage, déjà rencontré à Paris alors qu'il venait d'achever ses études à Orléans, retrouve-t-il ? Pourquoi cette rencontre est-elle décisive pour Molière et sa troupe ?

Pistes de recherches

Par petits groupes, effectuez des recherches sur la comédie dans l'Antiquité, au Moyen Âge et à la Renaissance. Quels sont les principaux auteurs comiques ? Quels personnages, quelles situations, quels thèmes retrouve-t-on d'un spectacle à l'autre ? Où, quand et pour quel public ces spectacles sont-ils joués ? Vous pourrez présenter le résultat de vos recherches sous la forme d'un exposé.

Textes d'accompagnement

• *La Farce du Cuvier* (anonyme, fin du XVe siècle)

On trouve de nombreux exemples de scènes de ménage dans les pièces antiques, dans les farces médiévales, et dans les comédies du XVIIe siècle qui s'inspirent des deux premières.
Le passage qui suit constitue la première scène d'une des farces médiévales les plus populaires : *La Farce du Cuvier* – « Farce nouvelle, très bonne et fort joyeuse du Cuvier à trois personnages, […] assavoir : Jacquinot, sa femme et la mère de sa femme ». Jacquinot y dénonce la tyrannie qu'exerce sur lui son épouse.

Chez Jacquinot. Une salle commune. Le milieu ou l'une des extrémités du rideau de fond sert de porte ou de sortie sur la rue. Sur un trépied [1], un cuvier [2] de grande dimension. Autour du cuvier, deux tabourets. Sur une petite table, une écritoire [3] avec des feuillets de papier.

---

1. *Trépied* : tabouret à trois pieds.
2. *Cuvier* : grande bassine en bois qui sert pour laver le linge.
3. *Écritoire* : coffret contenant tout le nécessaire pour écrire.

I

JACQUINOT, *commence.* – Le grand diable m'inspira bien quand je me mis en ménage[1] ! Ce n'est que tempête et orage ; et je n'ai que souci et peine. Toujours ma femme se démène[2], comme un danseur ; et puis sa mère veut toujours avoir son mot sur la matière[3]. Je n'ai plus repos ni loisir ; je suis frappé et torturé de gros cailloux jetés sur ma cervelle. L'une crie, l'autre grommelle[4] ; l'une maudit, l'autre tempête[5]. Jour de travail ou jour de fête, je n'ai pas d'autre passe-temps. Je suis au rang des mécontents, car je ne fais mon profit de rien. *(Haussant le ton.)* Mais, par le sang qui coule en moi, je serai maître en ma maison, si je m'y mets !...

La Farce du Cuvier et autres farces du Moyen Âge,
GF-Flammarion, coll. « Étonnants Classiques »,
2001, p. 15-16.

De qui Jacquinot se plaint-il ? De quoi est-il mécontent ? Que projette-t-il de faire ? Selon vous, que va-t-il se passer ?

• *L'Inconstance de Flaminia*
(anonyme, probablement seconde moitié du XVIe siècle)

L'inconstance amoureuse ou l'infidélité sont des thèmes autour desquels ont été bâtis de nombreux canevas de pièces appartenant à la *commedia dell'arte*. Les scènes qui suivent sont extraites d'une pièce comique très populaire, *L'Inconstance de Flaminia.* Virginio, fils de Coviello, et Orazio, un gentilhomme, aiment respectivement Flaminia et Florinda, toutes deux filles du seigneur Magnifico. Mais ils ne sont pas les seuls à aimer, et chacune des scènes est l'occasion, pour l'auteur anonyme de la pièce, de multiplier les intrigues amoureuses...

---

1. *Quand je me mis en ménage* : quand je me mariai.
2. *Se démène* : s'agite.
3. *Son mot sur la matière* : son avis sur la question.
4. *Grommelle* : bougonne, se plaint.
5. *L'autre tempête* : l'autre hurle.

Acte premier

La scène est à Milan.

Virginio entre, en disant à

Orazio l'amour qu'il porte à Flaminia, fille de Magnifico. La nuit précédente, ayant vu un homme faire les cent pas sous les fenêtres de celle-ci, il lui a tiré un coup d'arquebuse [1] et croit l'avoir tué. Orazio l'exhorte [2] à rester caché. Virginio sort, Orazio reste, et dit son amour pour Florinda. Sur ce

Ardelia entre et lui avoue son amour ; Orazio, en feignant [3], lui donne de bonnes paroles. Ardelia sort, Orazio dit qu'il ne l'aime pas à cause de son amour pour Florinda et qu'il a du respect pour son cher ami Virginio. Il sort.

Coviello entre, en disant à

Scapino l'amour qu'il porte à Flaminia. Il dit qu'après l'avoir saluée à de fréquentes reprises, il veut maintenant lui parler. Scapino frappe à la porte de

Flaminia. Coviello lui révèle son amour, elle le tourne en ridicule. Coviello lui rappelle toutes les fois qu'elle lui a fait bonne figure ; elle répond que c'était par amour de Virginio, son fils. Coviello l'accuse d'inconstance. Elle rentre dans la maison ; Coviello et Scapino sortent pour aller trouver Magnifico. […]

L'Inconstance de Flaminia,
in Claude Bourqui, *La Commedia dell'arte,*
SEDES/ HER, 1999, p. 145.

Quelle est la particularité d'un canevas de *commedia dell'arte* ? En quoi cette tradition diffère-t-elle de celle de la farce ? Quelles conséquences cela a-t-il sur le spectacle ?

---

1. *Arquebuse* : ancienne arme à feu qu'on faisait partir au moyen d'une mèche ou d'un rouet.
2. *L'exhorte* : l'encourage.
3. *En feignant* : en faisant semblant.

À vos plumes !

L'épouse et la belle-mère de Jacquinot, les personnages de *La Farce du Cuvier*, font leur entrée en scène. Elles ont entendu ce qu'il disait et sont bien décidées à lui mener la vie dure… Pour sa part, Jacquinot ne compte pas se laisser faire. Mais la chose se révèle plus difficile que prévu. Imaginez la scène en une trentaine de lignes.

À vous de jouer !

Improvisez ! En vous appuyant sur l'extrait reproduit précédemment, mettez en scène et jouez par petits groupes les situations esquissées au début de *L'Inconstance de Flaminia*.

La Jalousie du Barbouillé, héritière de la farce

Au fil du texte…

1 Quel personnage est sur scène lorsque le rideau s'ouvre ? Qu'est-ce qui le préoccupe ? À qui souhaite-t-il demander conseil ? Quel personnage est sur le point d'entrer en scène ? Quel élément nous l'indique ? (Scène première.)

2 Qu'essaie, en vain, de faire le Barbouillé ? Pourquoi n'y parvient-il pas ? En quoi le discours du Docteur est-il comique ? (Quelle est la fonction des phrases latines ? des références aux différentes disciplines de la philosophie ? aux différentes parties de la grammaire ?) En quoi le personnage du Docteur est-il ridicule ? (Scène 2.)

3 Décontenancé par le discours du Docteur, le Barbouillé lui propose de l'argent. Le médecin accepte-t-il ce salaire ? Pourquoi sa réponse est-elle comique ? Par quel geste accompagne-t-il ses paroles ? (Scène 2.)

4 En quels termes Angélique parle-t-elle de son mari ? Comment Cathau surnomme-t-elle ce dernier ? (Scène 3.)

5 Qu'est-ce que Valère et Angélique essaient de faire croire au Barbouillé ? Celui-ci se laisse-t-il berner ? Citez le texte pour justifier votre réponse. (Scène 4.)

6 Quels personnages font leur apparition dans les scènes 5 et 6 ? Pourquoi les propos qu'échangent le Docteur et Gorgibus dans la scène 6 sont-ils comiques ? En quoi le discours tenu par le Docteur est-il ridicule ? Quels sont les jeux de scène qui rappellent la tradition de la farce ? (Scènes 5 et 6.)

7 Où Valère et Angélique se rendent-ils ? Pourquoi Angélique revient-elle rapidement sur scène ? En quels termes le Barbouillé parle-t-il du Docteur ? Quel regard porte-t-il sur sa science ? Qu'arrive-t-il à Angélique ? Pourquoi le rythme de la pièce s'accélère-t-il ? (Scènes 7 à 10.)

8 Pour quelles raisons le Barbouillé refuse-t-il d'ouvrir la porte à Angélique ? De quoi le menace-t-elle ? Comment le Barbouillé réagit-il ? Pourquoi la fin de la scène est-elle comique ? De quel type de comique s'agit-il ici ? (Scène 11.)

9 Quel conseil Gorgibus et Villebrequin donnent-ils à Angélique et au Barbouillé ? En quoi cela rappelle-t-il la tradition de la farce ? Qui le Barbouillé prend-il à témoin à la fin de la scène ? (Scène 12.)

10 Dans quel accoutrement le Docteur se présente-t-il ? Pourquoi les propos qu'il tient sont-ils comiques ? (Scène treizième et dernière.)

Pistes de recherches

Par petits groupes, effectuez des recherches sur la farce. Qui sont les grands farceurs au temps de Molière ? En quoi consistent leurs pièces ? Quels sont les thèmes et les situations qui reviennent le plus souvent ? Où jouent-ils et à quel public s'adressent-ils ? Dans *La Jalousie du Barbouillé*, indiquez les éléments qui rappellent l'univers de la farce. Vous pourrez présenter le résultat de vos recherches sous la forme d'un exposé oral.

Texte d'accompagnement

• Molière, *George Dandin ou le Mari confondu* (1668)

Reprise et développée, la scène 11 de *La Jalousie du Barbouillé* est devenue la scène 6 de l'acte III de *George Dandin*. Paysan balourd, George Dandin a épousé une jeune aristocrate, Angélique. Il est persuadé que celle-ci cherche à le tromper et fait tout pour la confondre. Un soir, alors qu'elle rentre d'un rendez-vous galant, il s'enferme dans leur demeure pour laisser la jeune femme dans la rue et convaincre les parents de celle-ci de son infidélité.

Acte III, scène 6

Angélique, Claudine [1], George Dandin

Angélique. – Rentrons sans faire de bruit.

Claudine. – La porte s'est fermée.

Angélique. – J'ai le passe-partout.

Claudine. – Ouvrez donc doucement.

Angélique. – On a fermé en dedans, et je ne sais comment nous ferons.

Claudine. – Appelez le garçon qui couche là.

Angélique. – Colin, Colin, Colin [2].

George Dandin, *mettant la tête à sa fenêtre.* – Colin, Colin ? Ah ! je vous y prends donc, Madame ma femme, et vous faites

---

1. Claudine est la suivante d'Angélique.
2. Colin est le valet de George Dandin.

des *escampativos* [1] pendant que je dors. Je suis bien aise de cela [2], et de vous voir dehors à l'heure qu'il est.

ANGÉLIQUE. – Hé bien ! quel grand mal est-ce qu'il y a à prendre le frais de la nuit ?

GEORGE DANDIN. – Oui, oui, l'heure est bonne à prendre le frais. C'est bien plutôt le chaud, Madame la coquine ; et nous savons toute l'intrigue du rendez-vous [3], et du damoiseau [4]. Nous avons entendu votre galant entretien, et les beaux vers à ma louange que vous avez dits l'un et l'autre. Mais ma consolation, c'est que je vais être vengé, et que votre père et votre mère seront convaincus maintenant de la justice [5] de mes plaintes, et du dérèglement de votre conduite. Je les ai envoyé quérir [6], et ils vont être ici dans un moment.

ANGÉLIQUE. – Ah Ciel !

CLAUDINE. – Madame.

GEORGE DANDIN. – Voilà un coup sans doute où vous ne vous attendiez pas [7]. C'est maintenant que je triomphe, et j'ai de quoi mettre à bas votre orgueil, et détruire vos artifices. Jusques ici vous avez joué mes accusations, ébloui vos parents, et plâtré vos malversations [8]. J'ai eu beau voir, et beau dire, et votre adresse toujours l'a emporté sur mon bon droit, et toujours vous avez trouvé moyen d'avoir raison ; mais à cette fois, Dieu merci, les choses vont être éclaircies, et votre effronterie [9] sera pleinement confondue [10].

91

---

1. *Escampativos* : escapades (terme populaire d'origine gasconne).
2. *Je suis bien aise de cela* : j'en suis heureux.
3. *Nous savons toute l'intrigue du rendez-vous* : nous savons tout de votre rendez-vous.
4. *Damoiseau* : jeune seigneur.
5. *De la justice* : du bien-fondé, de la justesse, de la véracité.
6. *Quérir* : voir note 5, p. 59.
7. *Où vous ne vous attendiez pas* : que vous n'aviez pas prévu.
8. *Plâtré vos malversations* : déguisé votre mauvaise conduite.
9. *Votre effronterie* : votre comportement scandaleux.
10. *Confondue* : découverte.

ANGÉLIQUE. – Hé ! je vous prie, faites-moi ouvrir la porte.

GEORGE DANDIN. – Non, non ; il faut attendre la venue de ceux que j'ai mandés [1], et je veux qu'ils vous trouvent dehors à la belle heure qu'il est. En attendant qu'ils viennent, songez, si vous voulez, à chercher dans votre tête quelque nouveau détour pour vous tirer de cette affaire, à inventer quelque moyen de rhabiller [2] votre escapade, à trouver quelque belle ruse pour éluder [3] ici les gens et paraître innocente, quelque prétexte spécieux [4] de pèlerinage nocturne, ou d'amie en travail d'enfant [5], que vous veniez de secourir.

ANGÉLIQUE. – Non : mon intention n'est pas de vous rien déguiser [6]. Je ne prétends point me défendre, ni vous nier les choses, puisque vous les savez.

GEORGE DANDIN. – C'est que vous voyez bien que tous les moyens vous en sont fermés, et que dans cette affaire vous ne sauriez inventer d'excuse qu'il ne me soit facile de convaincre de fausseté.

ANGÉLIQUE. – Oui, je confesse que j'ai tort, et que vous avez sujet de vous plaindre. Mais je vous demande par grâce de ne m'exposer point maintenant à la mauvaise humeur de mes parents, et de me faire promptement ouvrir.

GEORGE DANDIN. – Je vous baise les mains [7].

ANGÉLIQUE. – Eh ! mon pauvre petit mari, je vous en conjure [8] !

GEORGE DANDIN. – Ah ! mon pauvre petit mari ? Je suis votre petit mari maintenant, parce que vous vous sentez

---

1. *Ceux que j'ai mandés* : ceux que j'ai fait appeler.
2. *Rhabiller* : justifier.
3. *Éluder* : tromper.
4. *Spécieux* : trompeur.
5. *Une amie en travail d'enfant* : une amie sur le point d'accoucher.
6. *De vous rien déguiser* : de vous cacher quelque chose.
7. *Je vous baise les mains* : forme courtoise et ironique de refus.
8. *Je vous en conjure* : je vous en supplie.

prise. Je suis bien aise de cela, et vous ne vous étiez jamais avisée de me dire ces douceurs.

ANGÉLIQUE. – Tenez, je vous promets de ne vous plus donner aucun sujet de déplaisir, et de me…

GEORGE DANDIN. – Tout cela n'est rien. Je ne veux point perdre cette aventure, et il m'importe qu'on soit une fois éclairci à fond de vos déportements [1].

ANGÉLIQUE. – De grâce, laissez-moi vous dire. Je vous demande un moment d'audience.

GEORGE DANDIN. – Hé bien, quoi ?

ANGÉLIQUE. – Il est vrai que j'ai failli [2], je vous l'avoue encore une fois, et que votre ressentiment est juste ; que j'ai pris le temps de sortir pendant que vous dormiez, et que cette sortie est un rendez-vous que j'avais donné à la personne que vous dites. Mais enfin ce sont des actions que vous devez pardonner à mon âge ; des emportements de jeune personne qui n'a encore rien vu, et ne fait que d'entrer au monde ; des libertés où l'on s'abandonne sans y penser de mal, et qui sans doute dans le fond n'ont rien de…

GEORGE DANDIN. – Oui : vous le dites et ce sont de ces choses qui ont besoin qu'on les croie pieusement.

ANGÉLIQUE. – Je ne veux point m'excuser par là d'être coupable envers vous, et je vous prie seulement d'oublier une offense dont je vous demande pardon de tout mon cœur, et de m'épargner en cette rencontre le déplaisir que pourraient me causer les reproches fâcheux de mon père et de ma mère. Si vous m'accordez généreusement la grâce que je vous demande, ce procédé obligeant, cette bonté que vous me ferez voir, me gagnera entièrement. Elle touchera tout à fait mon cœur, et y fera naître pour vous ce que tout le pouvoir de mes parents et les liens du mariage n'avaient pu y jeter. En un mot, elle sera cause

1. *Déportements* : écarts de conduite.
2. *J'ai failli* : j'ai commis une faute.

93

que je renoncerai à toutes les galanteries[1], et n'aurai de l'attachement que pour vous. Oui, je vous donne ma parole que vous m'allez voir désormais la meilleure femme du monde, et que je vous témoignerai tant d'amitié[2], tant d'amitié, que vous en serez satisfait.

GEORGE DANDIN. – Ah ! crocodile[3], qui flatte les gens pour les étrangler.

ANGÉLIQUE. – Accordez-moi cette faveur.

GEORGE DANDIN. – Point d'affaires. Je suis inexorable.

ANGÉLIQUE. – Montrez-vous généreux.

GEORGE DANDIN. – Non.

ANGÉLIQUE. – De grâce !

GEORGE DANDIN. – Point.

ANGÉLIQUE. – Je vous en conjure de tout mon cœur !

GEORGE DANDIN. – Non, non, non. Je veux qu'on soit détrompé de vous, et que votre confusion éclate.

ANGÉLIQUE. – Hé bien ! si vous me réduisez au désespoir, je vous avertis qu'une femme en cet état est capable de tout, et que je ferai quelque chose ici dont vous vous repentirez.

GEORGE DANDIN. – Et que ferez-vous, s'il vous plaît ?

ANGÉLIQUE. – Mon cœur se portera jusqu'aux extrêmes résolutions, et de ce couteau que voici je me tuerai sur la place.

GEORGE DANDIN. – Ah ! ah ! à la bonne heure !

ANGÉLIQUE. – Pas tant à la bonne heure pour vous que vous vous imaginez. On sait de tous côtés nos différends, et les chagrins[4] perpétuels que vous concevez contre moi. Lorsqu'on me trouvera morte, il n'y aura personne qui

---

1. *Galanteries* : intrigues amoureuses.
2. *Amitié* : affection.
3. *Crocodile* : hypocrite.
4. *Chagrins* : contrariétés.

mette en doute que ce ne soit vous qui m'aurez tuée ; et mes parents ne sont pas gens assurément à laisser cette mort impunie, et ils en feront sur votre personne toute la punition que leur pourront offrir et les poursuites de la justice, et la chaleur de leur ressentiment. C'est par là que je trouverai moyen de me venger de vous, et je ne suis pas la première qui ait su recourir à de pareilles vengeances, qui n'ait pas fait difficulté de se donner la mort pour perdre ceux qui ont la cruauté de nous pousser à la dernière extrémité.

GEORGE DANDIN. – Je suis votre valet. On ne s'avise plus de se tuer soi-même, et la mode en est passée il y a longtemps [1].

ANGÉLIQUE. – C'est une chose dont vous pouvez vous tenir sûr [2] ; et si vous persistez dans votre refus, si vous ne me faites ouvrir, je vous jure que tout à l'heure je vais vous faire voir jusques où peut aller la résolution d'une personne qu'on met au désespoir.

GEORGE DANDIN. – Bagatelles [3], bagatelles. C'est pour me faire peur.

ANGÉLIQUE. – Hé bien ! puisqu'il le faut, voici qui nous contentera tous les deux, et montrera si je me moque. Ah ! c'en est fait. Fasse le Ciel que ma mort soit vengée comme je le souhaite, et que celui qui en est cause reçoive un juste châtiment de la dureté qu'il a eue pour moi !

GEORGE DANDIN. – Ouais [4] ! serait-elle bien si malicieuse que de s'être tuée pour me faire pendre ? Prenons un bout de chandelle pour aller voir.

ANGÉLIQUE. – St. Paix ! Rangeons-nous chacune immédiatement contre un des côtés de la porte.

---

1. Aux yeux de George Dandin, le suicide semble réservé aux héros tragiques de l'Antiquité.
2. *Tenir sûr* : être sûr.
3. *Bagatelles* : bêtises.
4. *Ouais !* : oui !

GEORGE DANDIN. – La méchanceté d'une femme irait-elle bien jusque-là ? *(Il sort avec un bout de chandelle, sans les apercevoir ; elles entrent ; aussitôt elles ferment la porte.)* Il n'y a personne. Eh ! je m'en étais bien douté, et la pendarde [1] s'est retirée, voyant qu'elle ne gagnait rien après moi, ni par prières ni par menaces. Tant mieux ! cela rendra ses affaires encore plus mauvaises, et le père et la mère qui vont venir en verront mieux son crime. Ah ! ah ! la porte s'est fermée. Holà ! ho ! quelqu'un ! qu'on m'ouvre promptement !

ANGÉLIQUE, *à la fenêtre avec Claudine.* – Comment ? c'est toi ? D'où viens-tu, bon pendard ? Est-il l'heure de revenir chez soi quand le jour est près de paraître ? et cette manière de vie [2] est-elle celle que doit suivre un honnête mari ?

CLAUDINE. – Cela est-il beau d'aller ivrogner toute la nuit ? et de laisser ainsi toute seule une pauvre jeune femme dans la maison ?

GEORGE DANDIN. – Comment ? vous avez…

ANGÉLIQUE. – Va, va, traître, je suis lasse de tes déportements, et je m'en veux plaindre, sans plus tarder, à mon père et à ma mère.

GEORGE DANDIN. – Quoi ? c'est ainsi que vous osez…

Molière, *George Dandin*,
GF-Flammarion, coll. « Étonnants Classiques »,
1998, p. 104-114.

En quoi cette scène de *George Dandin* est-elle proche de la scène 11 de *La Jalousie du Barbouillé ?* Comparez les personnages, les répliques et la structure des deux textes.

À vos plumes !

« Le Barbouillé, Angélique, Gorgibus, Cathau, Villebrequin parlent tous à la fois, voulant dire la cause de la querelle, et le

---

1. *Pendarde* : voir note 2, p. 79.
2. *Manière de vie* : façon de vivre.

Docteur aussi, disant que la paix est une belle chose, et font un bruit confus de leurs voix ; et pendant tout le bruit, le Barbouillé attache le Docteur par le pied, et le fait tomber ; le Docteur se doit laisser tomber sur le dos ; le Barbouillé l'entraîne par la corde qu'il lui a attachée au pied, et, en l'entraînant, le Docteur doit toujours parler, et compte par ses doigts toutes ses raisons, comme s'il n'était point à terre, alors qu'il ne paraît plus » (p. 48). Imaginez en une trentaine de lignes la fin de la scène 6 de *La Jalousie du Barbouillé*, en partant de cette didascalie, et en faisant parler chacun des personnages. Attention, vous devrez utiliser des phrases très courtes et donner la parole à plusieurs personnages à la fois si vous souhaitez qu'il règne dans votre texte, comme dans celui de Molière, une véritable atmosphère de confusion !

À vous de jouer !

Par petits groupes, mettez en scène et jouez la scène 6 ou la scène 11 de *La Jalousie du Barbouillé*. Vous accorderez un soin tout particulier au choix des costumes, aux déplacements des personnages et aux éléments du décor.

Le Médecin volant, proche de la *commedia dell'arte*

Au fil du texte...

1 Qui sont les personnages en scène lorsque s'ouvre le rideau ? Par quoi sont-ils préoccupés ? Que projettent-ils de faire ? (Scène première.)

2 Quel personnage fait son entrée ? Que lui demande-t-on ? Comment réagit-il ? (Scène 2.)

3 Qu'est-ce qu'un galimatias ? Qu'est supposé faire Gros-René ? dans quel but ? (Scène 3.)

4 En quels termes Sabine présente-t-elle Sganarelle à Gorgibus ? En quoi le discours de Sganarelle est-il ridicule ? (Scènes 4 et 5.)

5 Quel nouveau personnage fait son entrée ? Quel discours tient-il sur la médecine et sur les médecins ? Qu'est-ce qui est comique dans les propos que Sganarelle échange avec lui ? (Scènes 6 à 8.)

6 Dans quel nouvel habit Sganarelle se présente-t-il ? Qu'apprend-il à Valère ? Pourquoi est-il soudain embarrassé ? Que décide-t-il alors de faire ? (Scènes 9 et 10.)

7 Pour qui Sganarelle se fait-il passer auprès de Gorgibus ? Que lui raconte-t-il ? Que fait Gorgibus ? Quel habit revêt alors Sganarelle ? Qu'est-ce qui nous l'apprend ? (Scène 11.)

8 Qu'est-ce que Gorgibus demande à Sganarelle dans la scène 12 ? Comment réagit-il ? Pourquoi la scène est-elle amusante ? Que lui demande-t-il dans la scène 14 ? Comment réagit-il ? Pourquoi cette scène est-elle comique ? Qu'est-ce qui inquiète Sganarelle ? (Scènes 12 à 14.)

9 En quoi la dernière scène est-elle comique ? À quel jeu Sganarelle se livre-t-il ? Qu'est-ce que Gorgibus ne voit pas ? Quel personnage dénonce l'imposture ? Pourquoi les didascalies sont-elles particulièrement importantes dans cette scène ? Sur quel type de comique repose celle-ci ? (Scène 15.)

10 De quelle manière Gorgibus veut-il punir Sganarelle de l'avoir trompé ? Comment celui-ci réagit-il ? Quelle décision Gorgibus prend-il finalement ? (Scène dernière.)

Pistes de recherches

Par petits groupes, effectuez des recherches sur la *commedia dell'arte*. Où et quand cet art est-il apparu ? Quels sont les personnages qui composent une troupe de *commedia* ? Quelles sont leurs caractéristiques ? Quelles sont les spécificités d'un spectacle de *commedia* ? Pourquoi les comédiens italiens connaissent-ils un grand succès lors de leur séjour dans la capitale ? En quoi ont-ils contribué à renouveler la conception que le public et les comédiens avaient du théâtre ?

Vous pourrez présenter le résultat de vos recherches sous la forme d'un exposé.

Texte d'accompagnement

• Molière, *Les Fourberies de Scapin* (1671)

Comme *Le Médecin volant*, la pièce *Les Fourberies de Scapin* est une comédie qui s'inscrit dans la tradition de la *commedia dell'arte*. En l'absence de leurs pères respectifs Argante et Géronte, Octave s'amourache d'une bohémienne et Léandre épouse une orpheline. Mais les vieillards reviennent avec de tout autres projets pour leurs fils. Les deux jeunes gens s'en remettent alors à l'habileté de Scapin, le valet de Léandre. À force de ruses, Scapin parvient à les tirer d'affaire.

Dans une scène truculente – la scène 2 de l'acte III –, le valet fait croire à Géronte que des hommes sont à sa recherche pour le frapper. Il l'incite à se cacher dans un sac pour leur échapper… Si Scapin recourt à cette fourberie, c'est pour pouvoir administrer à Géronte une série de coups de bâton et rire à ses dépens…

Acte III, scène 2

GÉRONTE, SCAPIN

[...]

SCAPIN. – Cachez-vous : voici un spadassin[1] qui vous cherche. *(En contrefaisant[2] sa voix)* « Quoi ? jé n'aurai pas l'aban-
tage dé tuer cé Geronte, et quelqu'un par charité né
m'enseignera pas où il est ? » *(À Géronte, de sa voix ordinaire.)*
Ne branlez pas[3]. *(Reprenant son ton contrefait.)* « Cadédis[4], jé
lé trouberai, sé cachât-il au centre dé la terre. » *(À Géronte
avec son ton naturel.)* Ne vous montrez pas. *(Tout le langage
gascon est supposé de celui qu'il contrefait, et le reste de lui.)* « Oh,
l'homme au sac ! » Monsieur. « Jé té vaille[5] un louis, et
m'enseigne où put être Geronte. » Vous cherchez le seigneur Géronte ? « Oui, mordi ! jé lé cherche. » Et pour
quelle affaire, Monsieur ? « Pour quelle affaire ? » Oui.
« Jé beux, cadédis, lé faire mourir sous les coups de
vaton. » Oh ! Monsieur, les coups de bâton ne se donnent
point à des gens comme lui, et ce n'est pas un homme à
être traité de la sorte. « Qui, cé fat dé Geronte, cé maraut,
cé velître[6] ? » Le seigneur Géronte, Monsieur, n'est ni fat,
ni maraud, ni bélître, et vous devriez, s'il vous plaît, parler d'autre façon. « Comment, tu mé traites, à moi, avec
cette hautur ? » Je défends, comme je dois, un homme
d'honneur qu'on offense. « Est-ce que tu es des amis dé
cé Geronte ? » Oui, Monsieur, j'en suis. « Ah ! Cadédis, tu
es de ses amis, à la vonne hure[7]. » *(Il donne plusieurs coups de
bâton sur le sac.)* « Tiens. Boilà cé que jé té vaille pour lui. »

---

1. *Spadassin* : homme d'épée.
2. *En contrefaisant* : voir note 4, p. 59.
3. *Ne branlez pas* : ne remuez pas.
4. *Cadédis* : juron signifiant « tête de Dieu ».
5. *Vaille* : pour « baille », qui signifie « donne ».
6. *Velître* : pour « bélître », qui signifie « gueux ».
7. *À la vonne hure* : à la bonne heure.

Ah, ah, ah ! ah, Monsieur ! Ah, ah, Monsieur ! tout beau. Ah, doucement, ah, ah, ah ! « Va, porte-lui cela de ma part. Adiusias [1]. » Ah ! diable soit le Gascon. Ah ! *(En se plaignant et remuant le dos, comme s'il avait reçu les coups de bâton.)* […]

Molière, *Les Fourberies de Scapin*,
GF-Flammarion, coll. « Étonnants Classiques »,
1995, p. 100-101.

Dans ce passage, quels sont les éléments qui rappellent la scène 15 du *Médecin volant* ? Comparez les personnages et les situations. Qu'est-ce qui n'a pas changé du *Médecin volant* aux *Fourberies de Scapin* ?

À vos plumes !

Villebrequin n'a pas apprécié le tour que lui ont joué Valère et Sganarelle, pas plus que la décision de Gorgibus de marier sa fille à Valère. Pour se venger, il se déguise en bohémien, enlève Lucile et exige une rançon de Gorgibus. Pour échapper à celui qui la retient prisonnière, Lucile feint d'être malade et demande à voir un médecin. Villebrequin part alors à la recherche d'un docteur. Valère, qui le rencontre, le reconnaît sous son déguisement et décide de convaincre Sganarelle de jouer les médecins.
Imaginez une scène dans laquelle Sganarelle permettra à Lucile d'échapper à Villebrequin, à Gorgibus de ne pas payer la rançon et à Valère de retrouver sa bien-aimée.

À vous de jouer !

Par petits groupes, mettez en scène et jouez la scène 4 ou la scène 15 du *Médecin volant*. Vous accorderez un soin tout particulier au choix des costumes, aux déplacements des personnages et aux éléments du décor.

---

1. *Adiusias* : adieu.

La satire de la médecine dans les comédies de Molière

Pistes de recherches

Par petits groupes, effectuez des recherches sur les médecins et la médecine au temps de Molière. De quels savoirs disposaient les médecins ? pour soigner quelles maladies ? avec quels remèdes ? Vous pourrez présenter le fruit de vos recherches sous la forme d'un exposé oral.

Textes d'accompagnement

Les comédies dans lesquelles Molière se livre à la satire de la médecine sont nombreuses. Les trois textes qui suivent, extraits du *Mariage forcé*, du *Médecin malgré lui* et du *Malade imaginaire*, mettent en scène quelques-uns des vrais ou faux médecins imaginés par le dramaturge.

• Molière, *Le Mariage forcé* (1664)

Dans *Le Mariage forcé*, Sganarelle confie à son ami Géronimo son désir d'épouser une certaine Dorimène, de plus de vingt ans sa cadette. Il lui fait part également de l'inquiétude que suscite en lui cette différence d'âge. Le mariage est-il une bonne chose ? Sa future épouse ne risque-t-elle pas de le tromper ? Géronimo lui conseille alors de consulter deux savants, les médecins Pancrace et Marphurius. Peu avancé après son entretien avec le premier, Sganarelle demande conseil au second…

Scène 5

MARPHURIUS, SGANARELLE

MARPHURIUS. – Que voulez-vous de moi, seigneur Sganarelle ?

SGANARELLE. – Seigneur docteur, j'aurais besoin de votre
conseil sur une petite affaire dont il s'agit, et je suis venu
ici pour cela. Ah ! Voilà qui va bien : il écoute le monde
celui-ci.

MARPHURIUS. – Seigneur Sganarelle, changez, s'il vous
plaît, cette façon de parler. Notre philosophie ordonne
de ne point énoncer de proposition décisive, de parler
de tout avec incertitude, de suspendre toujours son jugement ; et, par cette raison, vous ne devez pas dire : « je
suis venu » mais : « il me semble que je suis venu ».

SGANARELLE. – Il me semble !

MARPHURIUS. – Oui.

SGANARELLE. – Parbleu ! Il faut bien qu'il me le semble, puisque cela est[1].

MARPHURIUS. – Ce n'est pas une conséquence ; et il peut
vous sembler[2], sans que la chose soit véritable.

SGANARELLE. – Comment ? Il n'est pas vrai que je suis venu ?

MARPHURIUS. – Cela est incertain, et nous devons douter de
tout.

SGANARELLE. – Quoi ? Je ne suis pas ici, et vous ne me parlez
pas ?

MARPHURIUS. – Il m'apparaît que vous êtes là, et il me semble
que je vous parle ; mais il n'est pas assuré que cela soit.

SGANARELLE. – Eh ! Que diable ! Vous vous moquez. Me
voilà, et vous voilà bien nettement, et il n'y a point de me

---

1. *Puisque cela est* : puisqu'il en est ainsi.
2. *Il peut vous sembler* : cela peut vous paraître vraisemblable.

semble à tout cela. Laissons ces subtilités, je vous prie, et parlons de mon affaire. Je viens vous dire que j'ai envie de me marier.

MARPHURIUS. – Je n'en sais rien.

SGANARELLE. – Je vous le dis.

MARPHURIUS. – Il se peut faire.

SGANARELLE. – La fille que je veux prendre est fort jeune et fort belle.

MARPHURIUS. – Il n'est pas impossible.

SGANARELLE. – Ferai-je bien ou mal de l'épouser ?

MARPHURIUS. – L'un ou l'autre.

SGANARELLE. – Ah ! Ah ! Voici une autre musique. Je vous demande si je ferai bien d'épouser la fille dont je vous parle.

MARPHURIUS. – Selon la rencontre.

SGANARELLE. – Ferai-je mal ?

MARPHURIUS. – Par aventure.

SGANARELLE. – De grâce, répondez-moi comme il faut.

MARPHURIUS. – C'est mon dessein [1].

SGANARELLE. – J'ai une grande inclination [2] pour la fille.

MARPHURIUS. – Cela peut être.

SGANARELLE. – Le père me l'a accordée.

MARPHURIUS. – Il se pourrait.

SGANARELLE. – Mais, en l'épousant, je crains d'être cocu.

MARPHURIUS. – La chose est faisable.

SGANARELLE. – Qu'en pensez-vous ?

MARPHURIUS. – Il n'y a pas d'impossibilité.

SGANARELLE. – Mais que feriez-vous, si vous étiez en ma place ?

---

1. *C'est mon dessein* : c'est mon but.
2. *Inclination* : attirance.

MARPHURIUS. – Je ne sais.

SGANARELLE. – Que me conseillez-vous de faire ?

MARPHURIUS. – Ce qui vous plaira.

SGANARELLE. – J'enrage.

MARPHURIUS. – Je m'en lave les mains.

SGANARELLE. – Au diable soit le vieux rêveur !

MARPHURIUS. – Il en sera ce qui pourra.

SGANARELLE. – La peste du bourreau ! Je te ferai changer de note, chien de philosophe enragé.

MARPHURIUS. – Ah ! Ah ! Ah !

SGANARELLE. – Te voilà payé de ton galimatias [1], et me voilà content.

MARPHURIUS. – Comment ? Quelle insolence ! M'outrager de la sorte ! Avoir eu l'audace de battre un philosophe comme moi !

SGANARELLE. – Corrigez, s'il vous plaît, cette manière de parler. Il faut douter de toutes choses, et vous ne devez pas dire que je vous ai battu, mais qu'il vous semble que je vous ai battu.

MARPHURIUS. – Ah ! Je m'en vais faire ma plainte au commissaire du quartier, des coups que j'ai reçus.

SGANARELLE. – Je m'en lave les mains.

MARPHURIUS. – J'en ai les marques sur ma personne.

SGANARELLE. – Il se peut faire.

MARPHURIUS. – C'est toi qui m'as traité ainsi.

SGANARELLE. – Il n'y a pas d'impossibilité.

MARPHURIUS. – J'aurai un décret contre toi.

SGANARELLE. – Je n'en sais rien.

MARPHURIUS. – Et tu seras condamné en justice.

SGANARELLE. – Il en sera ce qui pourra.

---

1. *Galimatias* : paroles incompréhensibles.

MARPHURIUS. – Laisse-moi faire.

SGANARELLE. – Comment ? On ne saurait tirer une parole positive de ce chien d'homme-là, et l'on est aussi savant à la fin qu'au commencement. Que dois-je faire dans l'incertitude des suites de mon mariage ? Jamais homme ne fut plus embarrassé que je suis. Ah ! Voici des Égyptiennes[1] ; il faut que je me fasse dire par elles ma bonne aventure.

Molière, *Le Mariage forcé*,
in *Œuvres complètes*, GF-Flammarion,
1995, t. II, p. 146-150.

Indiquez sur quoi repose le comique de cette scène. Qu'attend précisément Sganarelle de Marphurius ? Celui-ci répond-il à ses interrogations ? Quels travers des médecins Molière critique-t-il par l'intermédiaire de ce personnage ?

• Molière, *Le Médecin malgré lui* (1666)

Dans *Le Médecin malgré lui*, pour se venger des coups que lui a donnés son époux Sganarelle, Toinette décide de le faire passer pour un célèbre docteur auprès de Valère et de Lucas. Le maître de ces derniers, Géronte, leur a demandé de trouver un médecin pour guérir sa fille Lucinde, atteinte de mutisme depuis l'instant précis où il lui a appris sa décision de la marier avec un de ses vieux amis, Horace… Devenu médecin malgré lui, Sganarelle s'applique à jouer son rôle du mieux qu'il peut.

---

1. *Égyptiennes* : bohémiennes, au XVIIᵉ siècle.

Acte II, scène 2

Valère, Sganarelle, Géronte, Lucas, Jacqueline

Valère. – Monsieur, préparez-vous. Voici notre médecin qui entre.

Géronte. – Monsieur, je suis ravi de vous voir chez moi, et nous avons grand besoin de vous.

Sganarelle, *en robe de médecin, avec un chapeau des plus pointus.* – Hippocrate [1] dit... que nous nous couvrions tous deux.

Géronte. – Hippocrate dit cela ?

Sganarelle. – Oui.

Géronte. – Dans quel chapitre, s'il vous plaît ?

Sganarelle. – Dans son chapitre des chapeaux.

Géronte. – Puisque Hippocrate le dit, il le faut faire.

Sganarelle. – Monsieur le Médecin, ayant appris les merveilleuses choses...

Géronte. – À qui parlez-vous, de grâce ?

Sganarelle. – À vous.

Géronte. – Je ne suis pas médecin.

Sganarelle. – Vous n'êtes pas médecin ?

Géronte. – Non, vraiment.

Sganarelle. *(Il prend ici un bâton, et le bat comme on l'a battu.)* – Tout de bon ?

Géronte. – Tout de bon. Ah ! ah ! ah !

Sganarelle. – Vous êtes médecin maintenant : je n'ai jamais eu d'autres licences [2].

Géronte. – Quel diable d'homme m'avez-vous là amené ?

---

1. *Hippocrate* : voir note 3, p. 62.
2. *Licences* : voir note 6, p. 62.

VALÈRE. – Je vous ai bien dit que c'était un médecin goguenard[1].

GÉRONTE. – Oui ; mais je l'envoirais promener avec ses
goguenarderies.

LUCAS. – Ne prenez pas garde à ça, Monsieur : ce n'est que
pour rire.

GÉRONTE. – Cette raillerie[2] ne me plaît pas.

SGANARELLE. – Monsieur, je vous demande pardon de la
liberté que j'ai prise.

GÉRONTE. – Monsieur, je suis votre serviteur.

SGANARELLE. – Je suis fâché…

GÉRONTE. – Cela n'est rien.

SGANARELLE. – Des coups de bâton…

GÉRONTE. – Il n'y a pas de mal.

SGANARELLE. – Que j'ai eu l'honneur de vous donner.

GÉRONTE. – Ne parlons plus de cela. Monsieur, j'ai une fille
qui est tombée dans une étrange maladie.

SGANARELLE. – Je suis ravi, Monsieur, que votre fille ait
besoin de moi ; et je souhaiterais de tout mon cœur que
vous en eussiez besoin aussi, vous et toute votre famille,
pour vous témoigner l'envie que j'ai de vous servir.

GÉRONTE. – Je vous suis obligé de ces sentiments.

SGANARELLE. – Je vous assure que c'est du meilleur de mon
âme que je vous parle.

GÉRONTE. – C'est trop d'honneur que vous me faites.

SGANARELLE. – Comment s'appelle votre fille ?

GÉRONTE. – Lucinde.

SGANARELLE. – Lucinde ! Ah ! beau nom à médicamenter[3] !
Lucinde !

---

1. *Goguenard* : moqueur.
2. *Raillerie* : moquerie.
3. *Médicamenter* : soigner.

GÉRONTE. – Je m'en vais voir un peu ce qu'elle fait.

SGANARELLE. – Qui est cette grande femme-là ?

GÉRONTE. – C'est la nourrice d'un petit enfant que j'ai.

SGANARELLE. – Peste ! le joli meuble que voilà ! Ah ! Nourrice, charmante nourrice, ma médecine est la très humble esclave de votre nourricerie, et je voudrais bien être le petit poupon fortuné qui tétât le lait *(il lui porte la main sur le sein)* de vos bonnes grâces. Tous mes remèdes, toute ma science, toute ma capacité est à votre service, et…

LUCAS. – Avec votre parmission, Monsieur le Médecin, laissez là ma femme, je vous prie.

SGANARELLE. – Quoi ? est-elle votre femme ?

LUCAS. – Oui.

SGANARELLE *(Il fait semblant d'embrasser Lucas, et se tournant du côté de la nourrice, il l'embrasse.)* – Ah ! vraiment, je ne savais pas cela, et je m'en réjouis pour l'amour de l'un et de l'autre.

LUCAS, *en le tirant.* – Tout doucement, s'il vous plaît.

SGANARELLE. – Je vous assure que je suis ravi que vous soyez unis ensemble. Je la félicite d'avoir un mari comme vous *(il fait encore semblant d'embrasser Lucas et, passant dessous ses bras, se jette au col[1] de sa femme)* ; et je vous félicite, vous, d'avoir une femme si belle, si sage, et si bien faite comme elle est.

LUCAS, *en le tirant encore.* – Eh ! testigué[2] ! point tant de compliment, je vous supplie.

SGANARELLE. – Ne voulez-vous pas que je me réjouisse avec vous d'un si bel assemblage ?

LUCAS. – Avec moi, tant qu'il vous plaira ; mais avec ma femme, trêve de sarimonie[3].

---

1. *Col* : cou.
2. *Testigué* : juron en patois signifiant « tête de Dieu ».
3. *Trêve de sarimonie* : assez de cérémonie.

SGANARELLE. – Je prends part également au bonheur de tous deux ; *(il continue le même jeu)* et si je vous embrasse pour vous en témoigner ma joie, je l'embrasse de même pour lui en témoigner aussi.

LUCAS, *en le tirant derechef* [1]. – Ah ! vartigué [2], Monsieur le médecin, que de lantiponages [3].

Molière, *Le Médecin malgré lui*,
GF-Flammarion, coll. « Étonnants Classiques »,
1999, p. 63-68.

Indiquez sur quoi repose le comique de cette scène. Qu'est-ce qui préoccupe le plus Sganarelle ?

• Molière, *Le Malade imaginaire* (1673)

Argan, le personnage principal du *Malade imaginaire*, la dernière pièce de Molière, se plaît à croire qu'il est gravement malade et s'entoure de médecins et d'apothicaires pour être bien soigné. Dans la scène 10 de l'acte II de cette comédie, Toinette, la servante, déguisée en médecin, vient le soigner…

Acte III, scène 10

TOINETTE, *en médecin*, ARGAN, BÉRALDE [4]

TOINETTE. – Monsieur, je vous demande pardon de tout mon cœur.

ARGAN. – Cela est admirable !

TOINETTE. – Vous ne trouverez pas mauvaise, s'il vous plaît, la curiosité que j'ai eue de voir un illustre malade comme

---

1. *Derechef* : de nouveau.
2. *Vartigué* : juron en patois signifiant « vertu de Dieu ».
3. *Que de lantiponages* : que de détours.
4. *Béralde* : frère d'Argan.

vous êtes ; et votre réputation, qui s'étend partout, peut excuser la liberté que j'ai prise.

ARGAN. – Monsieur, je suis votre serviteur.

TOINETTE. – Je vois, Monsieur, que vous me regardez fixement. Quel âge croyez-vous bien que j'aie ?

ARGAN. – Je crois que tout au plus vous pouvez avoir vingt-six, ou vingt-sept ans.

TOINETTE. – Ah ! ah ! ah ! ah ! ah ! j'en ai quatre-vingt-dix.

ARGAN. – Quatre-vingt-dix ?

TOINETTE. – Oui. Vous voyez un effet des secrets de mon art, de me conserver ainsi frais et vigoureux.

ARGAN. – Par ma foi ! voilà un beau jeune vieillard pour quatre-vingt-dix ans.

TOINETTE. – Je suis médecin passager [1], qui vais de ville en ville, de province en province, de royaume en royaume, pour chercher d'illustres matières à ma capacité [2], pour trouver des malades dignes de m'occuper, capables d'exercer les grands et beaux secrets que j'ai trouvés dans la médecine. Je dédaigne de m'amuser à ce menu fatras de maladies ordinaires, à ces bagatelles de rhumatismes et de fluxions [3], à ces fiévrottes [4], à ces vapeurs [5], et à ces migraines. Je veux des maladies d'importance : de bonnes fièvres continues avec des transports au cerveau [6], de bonnes fièvres pourprées [7], de bonnes pestes, de bonnes hydropisies [8] formées, de bonnes pleurésies [9], avec des inflammations de poitrine : c'est là que je me

---

1. *Médecin passager* : médecin de passage, ambulant.
2. *À ma capacité* : dignes de ma science.
3. *Fluxions* : voir note 6, p. 45.
4. *Fiévrottes* : petites fièvres.
5. *Vapeurs* : troubles.
6. *Transports au cerveau* : délires.
7. *Fièvres pourprées* : fièvres rouges.
8. *Hydropisies* : accumulations d'eau dans le corps.
9. *Pleurésies* : inflammations du poumon.

plais, c'est là que je triomphe ; et je voudrais, Monsieur, que vous eussiez toutes les maladies que je viens de dire, que vous fussiez abandonné de tous les médecins, désespéré, à l'agonie, pour vous montrer l'excellence de mes remèdes [1], et l'envie que j'aurais de vous rendre service.

ARGAN. – Je vous suis obligé, Monsieur, des bontés que vous avez pour moi.

TOINETTE. – Donnez-moi votre pouls. Allons donc, que l'on batte comme il faut. Ahy, je vous ferai bien aller comme vous devez. Hoy, ce pouls-là fait l'impertinent : je vois bien que vous ne me connaissez pas encore. Qui est votre médecin ?

ARGAN. – Monsieur Purgon.

TOINETTE. – Cet homme-là n'est point écrit sur mes tablettes entre les grands médecins. De quoi dit-il que vous êtes malade ?

ARGAN. – Il dit que c'est du foie, et d'autres disent que c'est de la rate.

TOINETTE. – Ce sont tous des ignorants : c'est du poumon que vous êtes malade.

ARGAN. – Du poumon ?

TOINETTE. – Oui. Que sentez-vous ?

ARGAN. – Je sens de temps en temps des douleurs de tête.

TOINETTE. – Justement, le poumon.

ARGAN. – Il me semble parfois que j'ai un voile devant les yeux.

TOINETTE. – Le poumon.

ARGAN. – J'ai quelquefois des maux de cœur.

TOINETTE. – Le poumon.

ARGAN. – Je sens parfois des lassitudes par [2] tous les membres.

---

1. *L'excellence de mes remèdes* : l'efficacité de mes remèdes.
2. *Des lassitudes par* : des engourdissements dans.

TOINETTE. – Le poumon.

ARGAN. – Et quelquefois il me prend des douleurs dans le ventre, comme si c'était des coliques.

TOINETTE. – Le poumon. Vous avez appétit à ce que vous mangez ?

ARGAN. – Oui, Monsieur.

TOINETTE. – Le poumon. Vous aimez à boire un peu de vin ?

ARGAN. – Oui, Monsieur.

TOINETTE. – Le poumon. Il vous prend un petit sommeil après le repas, et vous êtes bien aise de dormir ?

ARGAN. – Oui, Monsieur.

TOINETTE. – Le poumon, le poumon, vous dis-je. Que vous ordonne votre médecin pour votre nourriture ?

ARGAN. – Il m'ordonne du potage.

TOINETTE. – Ignorant.

ARGAN. – De la volaille.

TOINETTE. – Ignorant.

ARGAN. – Du veau.

TOINETTE. – Ignorant.

ARGAN. – Des bouillons.

TOINETTE. – Ignorant.

ARGAN. – Des œufs frais.

TOINETTE. – Ignorant.

ARGAN. – Et le soir de petits pruneaux pour lâcher le ventre.

TOINETTE. – Ignorant.

ARGAN. – Et surtout de boire mon vin fort trempé [1].

---

1. *Trempé* : mélangé à de l'eau.

Toinette. – *Ignorantus, ignoranta, ignorantum*[1]. Il faut boire votre vin pur ; et pour épaissir votre sang, qui est trop subtil[2], il faut manger de bon gros bœuf, de bon gros porc, de bon fromage de Hollande, du gruau et du riz, et des marrons et des oublies[3], pour coller et conglutiner[4]. Votre médecin est une bête. Je veux vous en envoyer un de ma main, et je viendrai vous voir de temps en temps, tandis que je serai en cette ville.

[…]

Molière, *Le Malade imaginaire*,
GF-Flammarion, coll. « Étonnants Classiques »,
1995, p. 146-150.

Indiquez sur quoi repose le comique de cette scène. Quels travers des médecins Molière dénonce-t-il par l'intermédiaire du personnage de Toinette ?

À vos plumes !

À votre tour, écrivez en une quarantaine de lignes une scène qui sera une consultation donnée par un faux médecin à un vrai ou à un faux malade, et dans laquelle vous privilégierez le comique de répétition…

À vous de jouer !

Par petits groupes, mettez en scène et jouez la scène 5 du *Mariage forcé* ou la scène 2 de l'acte II du *Médecin malgré lui*, ou encore la scène 10 de l'acte III du *Malade imaginaire*. Vous accorderez un soin tout particulier au choix des costumes et aux déplacements des personnages.

---

1. *Ignorantus, ignoranta, ignorantum* : adjectif latin décliné au masculin, au féminin et au neutre, signifiant « ignorant ».
2. *Subtil* : liquide.
3. *Oublies* : pâtisseries.
4. *Conglutiner* : épaissir.

Le Médecin volant sur les planches : la mise en scène de Dario Fo (1990)

En 1989, le comédien, dramaturge et metteur en scène italien Dario Fo est invité à monter *Le Médecin volant* et *Le Médecin malgré lui* à la Comédie-Française.

Lorsqu'il arrive à Paris, en grand héritier de la tradition de la *commedia dell'arte*, il a une idée très précise de la façon dont ces deux pièces doivent être jouées et il a dessiné dans deux épais cahiers les mimiques, postures, gags et jeux de scène que lui ont inspirés les textes de Molière, en les accompagnant de ses commentaires.

En mettant en scène ces deux pièces, le but de Dario Fo est de renouer avec l'esprit dans lequel elles ont été créées. De ces créations, il ne reste que les textes, dont les lacunes explicites – telles les indications « galimatias », « etc. » dans *Le Médecin volant* – invitent les comédiens à improviser, et quelques vagues indications scéniques. Aussi Dario Fo ajoute-t-il des *lazzi* et des répliques au texte de Molière. Il ne trahit pas l'auteur. Au contraire, il s'emploie à le servir au mieux en recomposant son univers comique. Pour retrouver les jeux de scène dont ce dernier s'était inspiré en puisant dans les canevas des troupes de *commedia dell'arte* et en observant le jeu de l'acteur napolitain Scaramouche, Dario Fo consulte archives et témoignages. En partant de ses découvertes, il s'applique à réinventer une tradition. Qu'en est-il du résultat ? Une mise en scène alerte, enjouée, où tous les moyens sont mis en œuvre pour faire rire le spectateur, comme au temps de Scaramouche et de Molière.

Nous reproduisons ici quelques-uns des ajouts et des croquis que Dario Fo a réalisés pour *Le Médecin volant*, qui rendent compte de l'originalité et de la spécificité de son travail de metteur en scène[1], ainsi que des photos tirées de la représentation, dont la première eut lieu le 9 juin 1990.

---

1. Le carnet de mise en scène du *Médecin volant* de Dario Fo, dont nous donnons ici des extraits, a été publié aux Éditions de l'Imprimerie nationale (Molière, *Le Médecin malgré lui et Le Médecin volant*, Éditions de l'Imprimerie nationale, 1991).

La mise en scène de Dario Fo commence par une poursuite. On voit Sganarelle, un bélier sous le bras, qui tente d'échapper à deux gendarmes criant « Il a volé un bélier ! Au voleur ! Au voleur ! » tandis qu'« un groupe de musiciens joue au centre de la rue ». Cette ouverture, tout en inscrivant la pièce dans la tradition de la farce – avec le larcin de Sganarelle et la traque des gendarmes – et de la *commedia dell'arte* – avec la présence des musiciens –, avant même l'exposition de l'intrigue, renseigne le spectateur sur le caractère de Sganarelle. C'est un fourbe, un voleur. Il n'aura aucun mal à jouer la comédie et à usurper l'identité d'un autre !

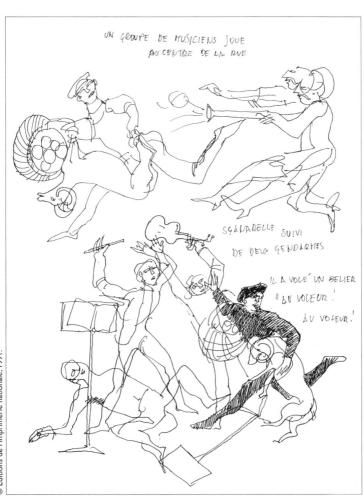

La scène 4 du *Médecin volant* est l'une de celles dans lesquelles Dario Fo a le plus recouru à des trouvailles scéniques et à des ajouts textuels, décuplant les effets comiques.

Sganarelle, toujours soucieux de remplir à la perfection son rôle de médecin, multiplie les démonstrations de son savoir-faire : il sort un à un ses instruments de praticien, parmi lesquels une bougie, qui met bientôt feu à son manteau, donnant lieu à un comique de situation.

Par ailleurs, pour établir son diagnostic, il demande qu'on lui apporte de l'urine de Lucile. Sabine bouscule la malade : « Vite, Lucile, pressons, pressons ! » Cette réplique ne figure pas dans le texte de Molière. C'est Dario Fo qui l'introduit à plusieurs reprises tandis que la panique gagne les personnages, créant ainsi un comique de répétition.

Enfin, en parfait chimiste, Sganarelle jette un fumigène dans le pot de chambre de Lucile, pour connaître la nature de son urine, amplifiant encore le caractère spectaculaire de la scène.

Nous reproduisons ci-contre le texte de Molière avec les ajouts de Dario Fo (qui apparaissent dans un caractère différent, entre crochets) et, aux pages suivantes, un croquis de cette scène réalisé par Dario Fo et une photo tirée de la représentation.

[...]

SGANARELLE. – Il n'importe : le sang du père et de la fille ne sont qu'une même chose ; [la couleur en est belle !] et par l'altération de celui du père, je puis connaître la maladie de la fille. [*(Chaque fois qu'il sort un objet de son manteau, il le nomme.)* Bougie ! – Ah ! voilà la bougie. Loupe – Ah ! voilà la loupe. Oreille ! – Tu me vois ? non c'est bouché ! Clystère – Ah voilà le clystère. Loupe ! – Tu me vois ? Ah ! je te vois ! il y a toujours un œil dans une serrure. C'est parfait. *(Rentrant la bougie dans son manteau.)* Quelle douce chaleur, c'est parfait !] Monsieur Gorgibus, y aurait-il moyen de voir de l'urine de l'égrotante ?

GORGIBUS. – Oui-da ; Sabine, vite allez quérir de l'urine de ma fille. Monsieur le médecin, j'ai grand'peur qu'elle ne meure.

SGANARELLE. – Ah ! qu'elle s'en garde bien ! Il ne faut pas qu'elle s'amuse à se laisser mourir sans l'ordonnance du médecin. [*(Une épaisse fumée apparaît sous le manteau de Sganarelle.)* Au feu ! au feu !

SABINE – *(Apparaissant à la fenêtre et remplissant un pot de chambre de vin blanc.)* – Vite, Lucile, pressons, pressons !… et voilà !]

SGANARELLE. – Voilà de l'urine qui marque grande chaleur, grande inflammation dans les intestins : elle n'est pas tant mauvaise pourtant.

GORGIBUS. – Hé quoi ? Monsieur, vous l'avalez ?

SGANARELLE. – Ne vous étonnez pas de cela ; les médecins, d'ordinaire, se contentent de la regarder ; mais moi, qui suis un médecin hors du commun, je l'avale, parce qu'avec le goût je discerne bien mieux la cause et les suites de la maladie. [Vous voulez goûter ?

GORGIBUS. – Non merci. Je n'ai pas le goût si subtil.]

SGANARELLE. – Mais, à vous dire la vérité, il y en avait trop peu pour asseoir un bon jugement : qu'on la fasse encore pisser.

[SABINE. – Vite, Lucile, pressons, pressons !

Tous répètent en chœur.]

[...]

Dans la mise en scène de Dario Fo (Comédie-Française, 1990), Sganarelle, au centre, déguisé en médecin (joué par Christian Blanc), prend feu sous le regard stupéfait de Gorgibus, au premier plan à droite (interprété par Dominique Rozan).

Dans la scène 8, exploitant le comique de répétition, Dario Fo fait boire l'urine de Lucile à l'Avocat. Dans cette mise en scène, l'Avocat découvrait à la scène 6 le pot de chambre de Lucile contenant du vin blanc (voir *supra*). Deux scènes plus loin, c'est la même boisson qu'il pense porter à sa bouche, en compagnie de Sganarelle déguisé en médecin et de Gorgibus. Mais son erreur est de taille ! Il recrache aussitôt le liquide : « L'Avocat. – Mais c'est de l'urine !/ Gorgibus. – C'est de ma fille, vous ne l'aimez pas ?/ L'Avocat. – Non !/ Gorgibus. – Pourquoi insistez-vous pour la boire ?/ L'Avocat. – De l'eau ! »

L'Avocat (joué par Marcel Bozonnet), entouré de Sganarelle en habit de médecin (à gauche sur la photo) et de Gorgibus, dans la mise en scène de Dario Fo (Comédie-Française, 1990).

Parmi les trouvailles que contient la mise en scène de Dario Fo figurent aussi la corde fournie par des voisins à Sganarelle pour l'aider à sortir de la maison de Gorgibus sans que celui-ci s'en aperçoive à la scène 14 ou encore le pot de chambre grimé et coiffé d'une perruque pour permettre la confrontation entre Sganarelle-médecin et son faux frère Narcisse à la scène 15 : une farandole qui fait irruption et entraîne Gorgibus et Gros-René laisse le temps à Sganarelle de procéder au maquillage du pot de chambre…

Pour que la fin de la pièce soit aussi dynamique que le début, Dario Fo imagine un ultime échange entre les personnages et un ultime pied de nez de Sganarelle. Gorgibus, fêté pour sa clémence, est lancé dans les airs sur le manteau du faux médecin. Mais, après une mauvaise chute, il gît inanimé sur le sol. Sganarelle, fidèle à lui-même, ressuscite Gorgibus, moins grâce à ses talents de médecin que grâce à sa ruse !

Nous reproduisons ci-contre le texte de Molière avec les ajouts de Dario Fo (qui apparaissent dans un caractère différent, entre crochets) et les croquis de ce dernier qui signalent la présence des musiciens, comme au début de la pièce.

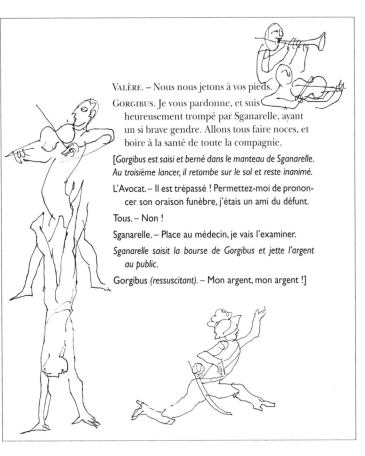

VALÈRE. – Nous nous jetons à vos pieds.

GORGIBUS. Je vous pardonne, et suis heureusement trompé par Sganarelle, ayant un si brave gendre. Allons tous faire noces, et boire à la santé de toute la compagnie.

[*Gorgibus est saisi et berné dans le manteau de Sganarelle. Au troisième lancer, il retombe sur le sol et reste inanimé.*]

L'AVOCAT. – Il est trépassé ! Permettez-moi de prononcer son oraison funèbre, j'étais un ami du défunt.

TOUS. – Non !

SGANARELLE. – Place au médecin, je vais l'examiner.

Sganarelle saisit la bourse de Gorgibus et jette l'argent au public.

GORGIBUS *(ressuscitant).* – Mon argent, mon argent !]

GF Flammarion

06/04/120799-IV-2006 – Impr. MAURY Eurolivres, 45300 Manchecourt.
N° d'édition FG224201. – Avril 2006. – Printed in France.